晚春

三三

著

上海文艺出版社
Shanghai Literature & Art Publishing House

献
给

孙
明
磊

目录

I

晚春

杭州

晚春

收到父亲来信，是晚春的一日。外面天气很好，阳光猛烈，扰人多时的湿寒已祛除。沿街芍药翻香，脂粉调晃悠悠从皱瓣里钻出来。行人也渐多，带着各自的目标与心事，往暖风中呼出小剂量的声音。我略微拉开窗帘，使房间与外界的光线连通。于是，四周之物变得可以辨认，原本被幽暗侵占的空间都还回来了。

信写得很古怪，用一种偏紫的墨水。字迹也潦草，与我印象中父亲的字不同，仿佛写于情急之下。信纸边缘，有两三处与墨水同色的指纹，大概是不慎沾了手又拓下的。

润安，

父有难，乞速归。

见面须谨慎，来信一事切不可让雅红知晓。

父 清河

信在桌上摆了三天。水仙盆景正值凋谢，几日下来，不少焦炙的花骨落在信封上。

第四天，我清理掉覆在表面的碎花，叠好信，将它与一盒钉针同放进抽屉。中午，便买了车票，从北京回到杭州。

"回"字用得并不贴切，尾随它的宾语理应指向一处故地，一处曾与我相互紧攒、不时会触及哀愁根须的地方。杭州远不及此标准，只不过是父亲再婚后定居的地方。继母在江干区有房产，房屋虽老，但面积近百平米，维持一段中晚年生活也足够。他们的婚姻运转到第九年，这期间我到过杭州数次，继母从未露过面。初时她羞赧，或担忧她的在场会打扰我与父亲的交谈，后来又受各种病痛、家务阻挠，始终没能与父亲一起出现。这些缺席的理由，往往都附随着本地特产，由父亲代为送达。

原本没打算住多久，我只提一个旅行包的衣物。到清江路的旅馆安顿下，在地图里搜索父亲的住址，相距大约两公里不到。南方炽热更盛，树梢间遍是嘤鸣和由此波动的枝叶之声。走动时不觉得，稍一静立，虚汗从衣服布料下蒸出。就在卫浴间冲洗一新，换上长袖衬衫，棉麻贴身如挠痒。因为担心父亲，我很快往他们家中赶去，中途买一些水果作礼。

寓所位于一个老式小区内，多层建筑的楼房，一度流行于八十年代末。他们住在一楼，进出便捷，只不过每天日晒短暂。冬至凛冽处，阴湿之气把房子养成一个洞穴。我按几次门铃，无人应答，才发现门铃的接线被剪断了。敲门后，听见里面一阵走动声。我不禁心跳加快，配上手表里秒针的转响，形成一种怪异的内外二重奏。

一个女人开门，见到我，微微一愣。很快又热情起来，如一炬忽然被点亮的蜡烛。"润安吗，我见过你的照片。"

"你好，我来找我爸……"

我被她拉进门，不知所措，站在原处不动。门口的地毯很新，绘一只孟加拉虎，背衬浓绿的阔叶林。她蹲下来，在鞋柜中翻客用拖鞋，一边和我讲话。

"你爸爸出去散步了。"她把鞋递给我，领我到沙发前，"这里附近有一条贴沙河，你听过吗？是杭州城的护城河，唐懿宗年间开凿的，用来泄钱塘江的水。每天下午，你爸爸都要去那里走一程。"

我坐的位置恰与她相对，这时便看清了她的样貌。她长得很美，瓜子脸，载了一套柔媚的五官。尽管看上去五十岁出头——远小于实际年龄，但脸上集了一些皱纹，将她命中的艰涩外化为一种苦相。所幸她秉性并不严肃，笑时则稍好：眼尾如浪蜷曲，卧蚕松弛，随移动而轻晃；她好像全神贯注地望着某处而笑，又好像什么都没看，只是任由眼睛睁着——倒不是更显年轻，反而是凭美人迟暮之感，唤起了人们的宽容。

　　"五点前，你爸爸会回来。"她转头看了一眼墙上的钟。

　　"好的，谢谢阿姨。"我说。

　　"叫我雅红就好了。"她低头，又羞涩地笑起来，"雅红有点俗，你不要笑话。我刚工作时，给自己重新起过一个名字：沈临秋，取自'东风临夜冷于秋'一句。我以前是小学语文老师，你爸爸跟你提起过吗？"

　　"讲过一点，说你每年都评上先进个人，后来就不工作了。"我记得她当年离职与前夫有关，具体不便多问。

　　"抽烟吗？"她从茶几下挑出一包黄鹤楼雅韵。

　　"不抽。"

　　"真好，这样对身体好。除非有客人来，我现在也不抽的。"我这才意识到，她说话很柔顺，像一层迎面而来的卷积云。

她把我买来的水果拎到厨房，先后传来水流、开罐、金属碰撞的声音。不久，她端一盆水果来，菠萝削得剔透干净，切成小块，滤过一层盐水；另半边盛樱桃，浑圆的一粒粒，摆盘像一种古代阵法。

"你真会买，这是'春果第一枝'。"她指着樱桃，情绪似乎很好。

2

父亲回来得并不准时，进门已五点过半。乍一见，竟未认出父亲。他的整张脸向内陷落，皮肤紧裹在骨骼和动脉上，侧身时更明显。身体枯瘦，他伸手又缩回，举止木讷，与去年判若两人。仅仅用衰老并不足以概括他的改变，他更像周游过一个神秘异境，重新返回人间。

雅红责怪父亲几句，替他把拖鞋摆好，又转向我解释说："你爸爸丢过好几次手机，现在干脆不用了。到时间还不回家，太让人担心了。"

站在父亲身边，雅红像一个晚辈，很难想象他们同榻的无数夜晚。雅红回身入厨房，父亲在门边擦完手，缓缓坐到我旁边。电视机正开着，放一场缭乱的综艺，镜头在几张稔熟的明星面孔上切换。父亲握住我一只手，一言不发。他的瞳孔周围一片悬浊，粘黄的膜若隐若现。当我试图和他说话时，他移开了眼睛。

雅红手艺极佳，从厨房端出醋鱼、油焖春笋、豆腐羹。因留了我一起吃饭，她又多炒一盆虾仁。我时常一个人饮食，吞咽以效率为重。雅红嘱咐我吃慢些，说这都是时令杭帮菜，细品才入味。三十多年前，她从上海嫁到杭州，如今尽得钱塘气韵。见到她本人，我终于理解父亲当年执意娶她的原因。然而，事态似乎已暗中发生偏转——父亲浑身颓丧，当初的喜色荡然无存。他端着碗，手腕上间歇迸发出细小的抽搐，牵引筷子轻轻敲击瓷碗的边缘。白炽灯下，父亲水泥般的脸色始终不曾缓和，显得褴褛、死气沉沉，使人想起多纳泰罗雕塑的圣像。

在餐桌上，雅红问起我的行程。我如实相告，已请了剩余的年假，可在杭州小住十日。得知我入住快捷酒店，雅红有些懊恼，让我退房住回家里。父亲对此不置可否，好像注意力全集中在晚间新闻。等雅红吃完离席，父亲也停下进食，偷偷把饭倒进垃圾桶。

或许是时机不巧，那天夜晚，房间里弥漫着一种微妙的气氛。落在父亲、雅红的举止之间，则体现为疲倦与迟钝。八点出头，我起身告辞。父亲想送我回去，雅红记挂他的安全，面露难色。我眼见父亲的身体状况，便也劝阻。往来几次，他只好悻悻妥协，但非要送我到小区门口。

我们从一条细道中穿过，父亲走得缓慢，似在用步伐把黑夜一裁为二。两侧有樟树夹道，走到中段，腊梅香也急来送行。我又听见与下午相同的鸟鸣，一种不知名的品类。在北京，最多见的是灰喜鹊。偶尔也逢乌鸦群栖，号叫声将狰狞从漫漫长夜之中刨出形状。我正想问父亲，来信究竟怎么回事，父亲先开了口。

"有一件事情，我先问你。"父亲说话时，反应似有解冻，比先前敏捷一些，"你能给我点钱吗？"

"多少？"我疑惑不解。

"我也不确定。五万，你有吗？"

"到底什么事？你怎么弄成这样，是赌博吗？"

小路上不曾设灯，除了高处零散的光线，月亮是眼下唯一的光源。父亲久久看着我，神色闪烁——像在辨认我，或是推敲这一场景在他命运中的意义。不知为何，我突然想起儿时收集的一只蝴蝶标本，通体半透明。我把它藏在一个玻璃盒子里，隔许多年再找到，盒中只剩一撮珠光粉末。

"是雅红。"父亲嗓音低沉，处于一种适合描述秘密的波频，"我怀疑，她在给我投毒。慢性毒药，每次一点点，最后我会死得像患病一样。现在家里全由她打理，我什么都不知道，手里也没钱。如果你给我一点，我可以自己找个地方安顿。接下去的钱，我再想办法。"

"你不要胡思乱想，投毒是犯罪的。"父亲的说辞听来匪夷所思，如果不是因为他过于严肃，我根本不想和他讨论这些。

"从今年年初起，我身体越来越差，经常头晕、胃疼，有时还呕吐。去医院里查，也查不出什么大毛病，可我总觉得哪里不对劲。我以前在农村听说过，这是砒霜中毒的症状，和胃病差不多。"

"你有什么依据吗？"我打断父亲。

"没有，但我知道就是她。她这个人很古怪，一直没什么知心朋友，结婚后也不常出门。最近不知道为什么，经常往外跑，外面肯定有别的男人。"

"怎么会呢，你们好不容易才在一起。何况，她看起来也不像……"我仍然半信半疑，不是信息的逐渐补全，而是父亲言谈中流露的恐惧，多少使我动摇。

"对了，有件事情你不知道。"父亲忽然想起似的，"她前夫就是胃病死的。以前说胃癌，忽然又改口了，说是胃不舒服，腹泻、吐血死的，蹊跷得很。"

3

一九七二年是一道分水岭，平稳的生活被拦腰截断，自此分为此岸与彼岸。在踏入该年之前，他们就从历史的依据中得到信号，知道这一年要轮到他"上山下乡"了——孟清河，也就是我的父亲。半年以来，他们常在黄浦江边散步，谈论未来的趋向，从每一个微小迹象中寻找提示。等待，似是唯一可做的事，而这个过程多少助长了他们的忧虑。当时雅红刚满十六岁，是父亲小学同学的妹妹。他年长雅红三岁，因与她哥哥关系亲近，几乎见证了雅红的成长。到了某一个年份，像突然掌握调试的诀窍，模糊的占有欲蓦地转向锋利、清晰，于是两人各自向对方赠献了初恋。

夏日收尾时，父亲收到通知书，他被分配到九江庐山的一个农场。相对而言，江西离上海近，寻常的亚热带季风气候，生活条件也不至过于颠荡。那时，父亲还和几个姐弟住在老南市区的弄堂里。雅红在天井里站着，不肯进去。她拧开公用龙头，冲了很久手，水池底部的青苔浮游于水中。父亲在旧地图册找九江的位置，用食指将它和上海相连，示意雅红看。父亲说，很近的，每年都可以回来。为这件事，雅红已经哭了许多次，往后仍有许多哭泣的机会，但那天她只是点了点头。父亲说，你自己好好生活，我会给你写信。雅红看了他一眼。临别时，雅红告诉父亲，她会一直等他回来。

父亲给雅红的最后一封信，是进农场后第四年写的。写时并未做告别的打算，潦草一段，也不长。紧接而来的日子里，农场突然忙碌不迭。父亲每日凌晨起来插秧，到夜里才休息；又逢开垦荒山，山中荆棘丛生，五斤重的开山锄常常被虬曲的根茎弹回。如此昼夜不停，攒一身酸痛。有时父亲握着锄头，双眼忍不住合上，迷糊之际一心盘算的，只有如何调往九江市里的工厂。等稍加空闲，农场里的青年们组织郊游，或隔三差五回城看电影，父亲也热衷参与其中。一转眼，便已一年多没给雅红写信了。后来春节回家时，雅红托哥哥将父亲的信件、礼物一并归还，两人不再见面。

那些年里，父亲逐渐明白，那个所笼罩他的世界已改变了侧重点。上海消沉于回忆之中，他的父母离世早，姐弟们各自撑搭生活的一角——那些饭桌上的絮语、从屋顶翻进果园所做的微不足道的偷窃、去遥远的北新泾挑菜、姐姐出嫁时房间里不停歇的哭泣，像溺水前浮于眼中的幻景。它淡化、消逝，成为梦魇的一部分。而真实生活在这里，尽管他仍然想着有一天回去，但不可否认，只有这个农场才是可以感知的，是他一切生命力量复杂而强势的来源。

过了两三年，父亲如愿入职九江仪表厂。父亲年轻时仪表堂堂，又自繁华都市来，不少热心人为他物色对象。经父亲的一个同事介绍，他认识了母亲。没过多久，几乎是顺理成章，两人懵懂地步入婚姻。

在我的童年时代，每逢父母剧烈的争吵结束，父亲便带我去看长江。我们望着水的尽头，一条深藏若虚的色线，消隐又呈现。青山与城楼相对出，架在浑浊的水面上。黄昏从宇宙的某一面远道而来，衬着翻浪的声音，仿佛世上一切都是松弛易碎的。父亲对我说起九江，"三江之口，七省通衢"，如此反复地介绍。等很多年后的一日，我突然明白过来，唯有异乡人才会用那种端正的口吻谈论九江。父亲失去了故土，成为一层真空的塑料膜，只能靠模仿他人来抵达应有的生活。

父亲从未意识到这一点，他所体察到的，只是无尽的、矢量乱序的压力。他想作出改变，辞职、做生意、喝酒、认识朋友，但都无济于事，或者说有效性极为短暂。最后，离婚的提议在厮打之中落成，又终被双方接受。自此以后，我只在道听途说中知晓父亲的人生。

父亲回了上海。祖宅由大姐打理，念高中的侄子低头钻进矮门，与父亲打招呼。大姐小心翼翼地问他今后打算，他注意到大姐眉眼间的算计——眼下，他是一个外敌，这个拮据的家庭决不允许他将户口迁入，更不会有他的安身之处。

那天夜晚，他独自散步到外滩。他曾热切盼望重回此地，可真的回来，上海早已面目全非。从前熟悉的店铺都被拆除，黄浦江沿岸增设了栏杆，再也无人下水游泳——隐形的新规则在此滋长，人群变得沉默而端庄。对岸浦东新建了高楼、电视塔，他往跨江望远镜里投了五毛，凑近一看，却发现投一元才能用。他摸遍口袋，找不到任何多余硬币。这一刻，他终于真切地体会到，在离去的那些年里，这座曾赋予他许多生命经验的城市彻底背叛了他。

4

翌日中午，我与陈鹏约在凤起路，想饭后可往西湖一游。陈鹏是我的本科同学，毕业以后，回杭州考了建设局的公务员。我则待在北京，通过相关专业考试，留任财务岗位。读书时，我和陈鹏曾为球友，每周参加篮球队集训，离校后却鲜有联系。

我赶到餐厅时，陈鹏已入座，身旁还坐一个年轻女孩。

据陈鹏介绍，女孩叫小榛，目前在浙理工读研。我问起两人的关系，小榛一口否认为恋人，说只是在陈鹏办公室实习。陈鹏露出尴尬，却也未加解释。

店里人不多，仿古木雕的窗户一扇扇敞开。气候晴和，一枝翠绿斜逸过来，从里往外望，嵌入窗框，如点缀着一幅画。他们已经点完菜，我加了一瓶啤酒。和朋友叙旧时，我心中总想着父亲老态龙钟的模样，便不觉对他们提起。我告诉陈鹏，此行主要是来看望父亲的。

"你和你爸不是……"陈鹏有些惊讶，"你们和好了？"

"说不上和好，大家都有各自的生活，最多一年见一次。我告诉过你吗？后来他又结婚了，继母是他初恋，不过看起来过得也不顺心。"我想了想，还是没把父亲怀疑雅红投毒的事情说出来。

"你呢？混得风生水起了吧。"陈鹏笑道，"听说你在北京买房了？"

"陈鹏一直说，你是他们班里最有前途的同学。"小榛给我们倒酒，抬眼向我一望，轻声说，"能留北京真不容易，我毕业也想去北京工作。"

念本科时，我并非最出众的一类学生，只不过凭刻苦拿过几次奖学金。现在工作勉强算中等，除去租金、开支，尚有盈余而已，买房全然是妄言。但见陈鹏似对小榛吹嘘过我，怕扫了他面子，也就没多作解释。

午餐过后，我们移步湖畔。北山街十步栽一棵法梧，正值好光景，满枝擎着鲜嫩绿意。虽然梧桐干茎粗粝，一眼望去，却徒生一种细弱的气息。北山街的一侧临湖，另一侧散布着商铺。正午，人声鼎沸，日光使店里零落的灯光变得不起眼。

踏入白堤，我们已气喘吁吁。小榛对我家里的事非常好奇，不断提问。

"所以，雅红怎么会原谅你爸的？"小榛问。

"他们再次见面，已经过去二十多年，自然就原谅了吧。"我随口说，"也许她对初恋的真挚难以忘怀？"

"你没女朋友吧，真是一点都不懂女人。"小榛笑出来，口气带有一种与她年龄不符的确信，"我一直觉得女性比男性更叛逆，更倾向于靠仇恨，而不是好的记忆生活。怎么说呢，不是狭义的仇恨，你可以想象成一件精制器物上有一个缺口，女人们日思夜想，构建出几百种方式补齐这个缺口，哪怕不值得也会去做。整个过程可能是无意义的，当有一天意识到这一点时，有些人理所当然会索取弥补。"

"你想得太复杂了。当年我爸和雅红分开，完全是顺应时代的无奈之举。命运究竟如何形成，依赖的还是一种巧合。他们那代人经历、境遇都与我们截然不同，凭我们是很难猜测的。"我说，对小榛的长篇大论不以为然。

小榛神秘一笑，不再和我多谈。恰好陈鹏双手夹三瓶饮料，匆忙赶回来。他示意小榛拿温的，小榛偏挑了一杯冷的。陈鹏拦不住，欲言又止。天气很热，春至晚境已炙烧起来，穿衬衫都汗流浃背。我们一路前行，突逢一段隆起的斜坡。稍站一阵，不断有行人、跑步者以各种速度从旁经过。

"我们去划船吧。"小榛拉着我的袖子，眯起眼睛。

"不愧是杭州，钟灵毓秀。"我不禁感叹。

"是还行。但我家在北方，受不了南方冬天。"小榛说。

5

夏至日渐临近，晚饭后往父亲家去，天色竟还有几分余亮。父亲在旧报纸上练书法，临的是魏碑《张玄墓志》，正写到"君秉阴阳之纯精"。父亲握笔太高，腾空时手依然颤抖不止，笔尖贴到纸面上则好一些。我对书法没有研究，见他端坐少动，好似一尊墓中陶俑。

我一进门，成为屋中一颗制造混乱的行星，把他们吸出了原来的卫星轨道。雅红像早料到我要来似的，殷切地揽我过去，一盘坚果与什锦糖已经摆好。儿时过春节，家中总有类似摆设，往往是母亲从超市买的散装零食。为一两毛零钱，斤斤计较半天，回家则迁怒于父亲的无能：城里来的人有何稀罕，什么都不会干。父母常年争吵不断，瓷碗筷摔过许多次，后来因舍不得浪费，全都换成了木制品。

"润安，我和你爸爸商量过，你就住家里吧。"雅红柔声说。

"但我已经在清江路……"我不知如何拒绝，望向了父亲。

雅红把我领进一间小客房，与上次参观时相比，房间焕然一新。原先空荡荡的板床上，已铺好席梦思垫子。一套藏青色的家纺品置于床上，淡淡的云纹四下舒卷，像广告里一样蓬松、惹人困倦。床头放着一套睡衣，与床单同色系。房间内也做了简单的调整，红曲柳木桌与书橱换了方向，采光得以补足。桌上摆一个细颈瓷瓶，新簪几枝杏花。不久，父亲也踱了进来。

"外面哪有家里舒服。家附近有一个轻纺市场，这些都是新买的，你什么都不用操心，直接住进来就好。你和你爸爸见得少，难得来一次，多陪陪我们也好。"雅红拉着我，她的手透出一阵凉湿之感，我不由得一惊。

"住几天吧。"父亲说。

我勉强点头，却总有一股疑虑，或许出于步入一段复杂生活前自然产生的规避之心。趁雅红去洗漱，父亲小心地关上小房间的门，轻声告诉我，雅红很敏感，说话做事一定要谨慎。既然住在家里，也可以借机察看家中情况，雅红究竟如何下药，外遇到底是什么人。

说完话嘴唇翕动，是父亲旧有的一个习惯。如今他整个人衰败，像一件划痕遍布的金属器皿，这习惯使他尤显寒酸。我注视着父亲，听他吐完破碎的词语，蓦地发现，自己已比父亲高半个头。我们最后一次去看长江时，我只到他肩膀。"上山下乡"的那几年里，父亲随知青们学了许多苏联歌曲，时常哼唱《莫斯科郊外的晚上》，只是每次歌词都有错乱之处。那天，他唱的是《永隔一江水》——我的生活和希望，总是相违背；我和你是河两岸，永隔一江水。我还想和父亲说些什么，但他担心雅红察觉我们窃窃私语，就拧门前去客厅。

我独自回了旅馆，与前台的女孩商量好退房。一天至此，过得疲乏不堪。刚想去淋浴，手机屏幕被小榛发来的消息点亮。

小榛说，我掉了个耳环，你在哪里看到过吗？我摸了摸口袋，里面只有一张两周前打车的发票。我回复她，我

19

这里没有，长什么样子的？小榛说，是一粒葫芦，用珍珠串起来的，你今天没注意看吗？我说，记得不清楚了。小榛发出一个嫌弃的表情，又接着说，都怪你，应该是划船时掉的。我想起下午时，小榛在船上因日光刺眼而后退，以至于差点被我绊倒。我想理应道歉，就说，真不好意思，过两天请你们吃饭。聊天框里显示小榛一直在打字，但很久才发出一句。她问，你觉得陈鹏这人怎么样？我回忆与陈鹏过去的交集，似乎能想起一两件具体的事情，例如一起在学校门口的拉面摊吃饭，或是球场上细小的摩擦——平淡，充满毫无意义的细节，却缺乏情感上的记忆。我忽然意识到，我与所有人的关系都是如此，相处仅作为一种物理上的陪伴。我回小榛，他这个人挺热情的，怎么了？她"哼"了一句，说，我家也在江干这边，不如后天请我去电影展。我想来也无所事事，就答应了她。

我躺在床上，虽熄了灯，昏昧的光线透过窗帘流进来。先前的疲倦演变为一种慢性病，让人犯困却失眠。过去家里一共两间房，父母住卧室，我睡客厅的沙发床。半夜常听见房里传出打骂之声，像拉错的二胡弦音，一阵阵摩擦的疼痛渗入脑神经中。久而久之，我不再信任夜晚，变成时刻想着从风吹草动中识别惊变的虚弱动物。

后来，我和母亲搬过几次家，转眼又入大学，留在北京。然而不知为何，我常在梦里回到小时候的家。有一次，梦见面泛莹绿的僵尸从墙里涌出来。我惊恐万分，甚至没察觉自己早就离开了那间房子。

6

依照雅红说的，我在地毯下摸到备用钥匙。圆形钥匙扣，上悬一块蓝色塑料片，表面有密集的波浪式弯曲。握在手中，薄片的边缘在掌心划下凹痕。

打开门，父亲和雅红都不在。房子的朝向整体偏东，这时日照早已移开。逢此时节，闷热像一种浓汤灌进每户封闭的人家，沉寂、窒息。我小心地走进阳台，把窗户推出一条缝，接着在房里四下环顾起来。

客厅的墙原由白漆刷成，因居住多年，墙上偶有淡淡的黄斑。家具实际上并不多，可他们喜欢用重木料，使整体氛围显得浑厚，房间像被某种力量压在地面。餐桌上，父亲前一晚练字的报纸还摊着，到"君临终清悟，神诮端明"就没写下去。"明"字的勾笔有些重，像一滴溅落的墨。桌子左侧摆一个立式长柜，高处有半杯水，杯上雕着鱼类的花纹。

我逐一打开抽屉。第一格中，一堆杂志整齐相叠。两三本与针织有关，其余均属文学类。虽然都是多年前的刊物，品相却十分整洁。抽屉底部有一个男式手表，已不再走动，指针停在十一点五十的位置。牛皮表带几乎烂尽，但仍可看出最靠内的两粒小孔是手工扎的，足见手表主人极其瘦弱。我一惊，想到雅红前夫——那个多年前死于胃病的男人。再看手表时，只觉一股难以言说的瘆人。第二格抽屉则混乱一些，满是瓶装或纸版的药。我拧开一些小罐，彩色药片发出悉索声响。因为缺乏医学知识，所见不过是一片眼花缭乱。正准备细读说明书，看是否真有砒霜一类的东西，猛地听见了开门声。

客厅正对大门，来不及细思，雅红已经提着两袋食品进来。我们面面相觑，惊吓之余，我什么都说不出口。抽屉半开着，此时像张口吹出一阵嘲弄。一部分已检查过的药，被我放在柜子顶部。我稍稍一动，旁边的杯中水荡起一层波澜。

雅红僵硬地移开脸，我瞥见她满脸苍白，血色尽凝于嘴唇。新烫的卷发垂在肩头，弧度夸张，仿佛她是一个等待觉醒的美杜莎。转身以后，她进了卧室。不久，她的声音穿过门框而来。

"人年龄一大，就成了药罐子。"雅红慢吞吞地说，"这些都是你爸爸的药。有的早上吃，有的晚上吃。药丸都怪

　　　　　　　　　　　　　晚　春

得很，你根本没法通过外形看透一粒药丸。"

"他今年变化太大了，到底得的是什么病？"我快速把药放回原处，嘴上应承着雅红的话。

"什么病……"雅红重复一遍，传出似笑非笑的声音，"你知道他的，年轻时不注意休养，现在体质特别差。心血管有问题，去年血糖也开始不稳定。据说这和遗传有关，你爷爷奶奶有得糖尿病的吗？"

"不知道，我出生前他们就去世了。"我说。

"真可怜。"她说话声音本就轻，传播时又折损了一半分贝。

"没办法。也许因为我爸结婚晚，也许因为……"

话说到一半，突然被从卧室出来的雅红截断。她穿上一身缎面睡裙，浅绿色，像经烟雨反复洗漂的新芽。裙体宽松，动作之间，她的肩胛骨忽隐忽现。这时我明白过来，刚才她在卧室换衣服，竟也没关门。熟悉的神韵重又焕发，一丛流焰，一盏新拧亮的灯火。她的面孔富于表现力，笑意从五官波纹中徐徐酿出。因背后意志力的掌控，节制之余，暗露一种机黠。

"你摸摸看。"雅红扶起我的手，从她的腰间划至大腿，"怎么样，丝绸是杭州的特产，可以买给你女朋友。你有女朋友了吗？"

"暂时还没考虑……"一股咸涩在我咽喉里弥漫，如木料被烤得过于干燥后轻轻蜕皮。一开口说话，不自觉变得结巴。

"你要加把劲呢。"雅红低头，转而蹙起眉说，"我真担心你爸爸。他近来瘦得不成样，还总说吃不下饭，我看他是得了心病。"

"什么心病？"听她怪气地一说，似有言外之意，我顿觉心惊肉跳。

"最可怕的就是疑心病，他总觉得有人想迫害他……你知道他有肩周炎吧，上次陪他去医院做针灸，都坐在位子上了，他死活不肯让医生扎金针，说人家想把他弄瘫痪。"雅红摇头，尽显无奈。

我一时说不出话，雅红见我发愣，笑着捏了捏我的手臂。"你不用紧张。人年纪大了，糊涂，在所难免。我不是怪他，只是你有空可以劝劝他，他最听你的话。"

我点头，雅红一笑便走了。

良久，我回过神来，见阳台上的窗已开得最大。内外空气对流，一个个隐形的气体旋涡激涌又散去。外面一条窄道，鲜有行人，浓荫跋扈地统御了周遭一切。一只白鸟收身入群枝，如万花筒转动间变化的元素。蝉鸣更盛，人们永远不知道这些无穷的翼动究竟在召唤什么，只道夏日行将立威，而晚春即逝。

7

千禧年前后，父亲做了一场嶙峋怪梦。那几年，他已摒弃深思的习性，只要有路，就往前走，同时将警惕织成一身铠甲——他是以这种步伐压住梦的边缘，旋即一跃而入的。梦境呈粉紫基调，色彩中暗含惬意、松盈，气氛像一个半娱乐性质的康复中心。一种近乎美的东西包围着他，以至于在空无一人之地，他突生与人们拥抱的激情。正当他随心所欲地飘荡之际，整片空间最远处的光线（在梦里，他清楚知道那一束光意味着 2000 年）蓄势袭来。就这样，一个年份化作一条光的长绳，紧紧系住他的脖子，将他悬吊在一棵很高的树上。四面黑暗莅临，如旧友重逢，他感到痛苦而安心。

在漫长的白日里，父亲却从没有过这样的想象力。自从对劳碌而平庸的命运加以默许后，他身上的许多特性已被剥夺。那几年，他在老房子附近租了一间商铺。白天卖水果，晚上就睡在后屋。闲来无事，有些老邻居来看他，顺道挑走一些半烂的果品。他几次想要他们付钱，可总是说不出口。姐姐一家倒是从未出现过，或许在刻意避让他。

没有未来可想，甚至"现在"都只是"过去"的一种投影——这是父亲有一天突然明白过来的。这块区域除了童涵春药店，格局几乎改尽。药店对面，原有一家杂货铺，老板娘是他小学同学的母亲。儿时逢暑假，他和同学各拿一支冰棍，再去前面沪南电影院，花一毛钱买票进场。然而，回沪后又住了好几年，他却根本记不清现在药店对面是什么地方。和老邻居聊天，讲的也是早已消散的往事，以及那些除他们之外再无人认识的逝者。只要稍加出神（尤其夜晚），他就会在家附近迷路，过去碎片式的干扰使四周更具迷宫的魅惑性。他踩在尚未干透的柏油马路上，脚底留下魆黑的印子……时代变迁的细小印记，人从这里来来回回，一刻都没有停止过。

父亲和老同学偶有聚会，关于雅红的消息，都是从她哥哥处听来的。雅红自师范中专毕业后，在小学当了多年语文教师。她向来是受风情青睐的人，随气质成熟，魅力更是不动声色地四溢。她似乎对教学颇为热爱，无论课堂或纸面文件，都能交出一份臻于完美的样本。学校领导赏识她，她的学生缘也很好。孩子们乐于赋予她牧羊人的权利，把各种心事倾囊相告，她也尽可能帮他们。唯一美中不足的是婚恋，她以没时间恋爱为借口，逐一回绝旁人的介绍。结果有一天，她突然辞去工作，嫁到了杭州。

父亲要了雅红的联系方式，休店铺三天，独自一人坐高铁去杭州。会打扰她吗？当然想过这个问题，只是好些年里，他为那么多咄咄逼人的命运攻势让了步，不想再替别人考虑了。更何况，他不过想见雅红一面，若她生活美满，他也可放生一些愧疚之心。

　　他趁夜色的庇护拨通电话，另一端传来嘈杂、聒噪、猛烈的鼓点，背景乐带高他的心跳速率。稍后，噪音下降，风声与雅红的声音混为一道，一种阴晴不定的温柔。他本没想当天就见雅红，但雅红给他留了她当时所在的地址——一家KTV俱乐部。他打车前去，穿过镜面球灯反射的彩光，像钻进一只苍蝇的复眼。中央舞厅里人声鼎沸，烟味和酒气随处助兴。另有KTV和桌球包间，他走了一圈，没看见雅红，或许见了也不再认得出。于是，他回到门口等候，发消息给她。

　　父亲蹲在门边，各色男女从旁进出，忽然听见有人叫他的名字。他弹跳着站起来，一双明艳而凌厉的眼睛紧盯着他，像要用目光将他固定在某处。他脑中有一个拼凑而成的雅红，拼图取自印象、推演、传闻，可是与眼前的人丝毫没有共通处，她的变化全然超出他的预期。雅红穿着一双玫红色高跟鞋，紧身裙，经风一吹略微发抖。她的脸上敷满白粉，浓妆并未如愿雕琢出美貌，反使她显得落魄。

父亲一低头，胸腔里上涌一阵心酸。

　　父亲说，你怎么在这种地方。雅红半天不语，忽然笑道，这有什么不好的，很多朋友都在呢。父亲问，你们要玩到几点？雅红说，早的话两三点，兴致好就通宵了。父亲一惊，经常这样吗？雅红瞥了父亲一眼，划亮火柴，点燃一根烟。她不屑地吸一口，像咽下一种平淡无味的食物，并把深红的唇印留在烟蒂上。雅红说，我现在又不工作，整天无所事事，除了泡吧、打麻将，你让我干什么去呢？父亲问，那为什么不找份正经工作？雅红说，你受教育受习惯了，很多事情都不懂。父亲问起她丈夫，语带磕绊。雅红出神地望着马路，什么都没说。

　　两人就此恢复联系，但往来并不频繁。父亲第二次去杭州，天气转凉，雅红穿一件白色棉服，外形与气质都素净下来。在一间临湖的茶馆包厢里，他们久坐，断断续续地讲话。雨水乘浥云而来，淅沥沥往湖上洒一阵。他们看雨密集起来，水花像微小的流弹溅向玻璃，源源不断，一种怀有强烈表达欲的陌生语言。对外界的视角，被分割成了一滴滴水粒。一片湖景既经水光放大，又因多道水絮乱流而遭拆解——一个重重矛盾并立的世界。

　　临别时，雅红面露严肃，问父亲，如果我没结婚，你会永远和我在一起吗？父亲有些措手不及，一愣罢，谨慎地点了点头。雅红凝视他，许久只说一个"好"字。

她双手掩面而上，捋过蓬松发亮的鬓角。父亲注意到她的下巴，微微向外突起，好一具雅致的骨骼。接着，父亲听见雅红抽泣的声音。

不出一年，传来雅红丈夫病发身亡的消息。

又过两三年，父亲和雅红结了婚。因雅红在杭州继承丈夫的房产，父亲便迁居到杭州。

8

影展在一家大剧院举办，离我们住处不远。今年主题是好莱坞黑色电影，多上映于二十世纪五十年代。热门的几部早就售罄，余下几场里，小榛选了尼古拉斯·雷的《兰闺艳血》。电影原名作"In a Lonely Place"，直译"在孤独之处"，但那几年引进的黑色电影，总被起一些香艳名字，仿佛死亡、性本就装在同一个神秘祭坛里。

我们买了上午十点场，放映结束，小榛自然地拉起我的手，往一家西餐厅走去。我没什么食欲，只点份意面，她根据自己口味把牛排、小食配齐。点餐完毕，她把菜单倒扣在旁边一桌，靠在椅子上发愣。

"亨弗莱·鲍嘉长得也太像杀人犯了，不管什么电影，我看到他都好紧张哦。"小榛说。她和我坐同侧，攥紧的手心有些湿热，像某种海洋动物喷出的黏液。

"那可以不选这部的。"我说。

"你不知道，这电影很邪典。女主角格洛丽亚·格雷厄姆和导演原来是夫妻，拍这部电影时，两人关系已经恶化到极点。你不觉得这个女演员很压抑吗，在应该高兴时，她也死气沉沉的，只靠挑眉毛等一些技巧强打精神。"小榛接着说，"还有一个巧合，现实生活中，男女主角后来都死于胃癌。"

我忽然想到什么，不禁皱眉："你还记得电影开头的故事吗？一个女人爱上一个海员，于是想办法溺死了丈夫。"

"这没什么特别的，《聊斋》里也写过，最出名的不是潘金莲吗？"小榛不以为然。

"我在想，现实中这样的事情可能很多，只是没人知道而已。"我说。

"这说不准。我同学爷爷去世后，家人总觉得当时爷爷还能救，是奶奶偷偷拔掉了输液管。不过都是瞎猜的，根本没什么证据。"小榛说。

"如果真的有所记恨，为什么不干脆离婚呢？"我说，这也是我近来常想的问题。

"图财、图利、不想失去眼下的生活……不过你想的有问题，离婚完全是两回事，程序正义意味着一种裁决。对故事里的女人来说，离婚就是让她暴露在众人面前，承认自己的错误；但我想，她抗拒正大光明的途径，也许潜意识里根本不认为自己有错吧。"小榛推了我一把，笑着说，"故事里都是极端情况，想这些干嘛。"

已上桌的菜分散了我们的注意力，牛排刀的锯齿侧对我们，小榛用它顺着纹理切开肉。由于想借鉴小榛的看法，我对她讲了雅红的事情。小榛专注地嚼咽嘴里的肉，我转过脸等她答复，却只看见她的颧骨带动下颌做一场撕拉运动。终于，她露出一种若有所思的微笑，仿佛在触碰问题前已预知了它的解法。这种表情我似乎在别处也见过，但一时想不起是谁。

"多半是你爸瞎想。不过，你可以带我回家，我来看看这个雅红到底是什么货色。"小榛说。

下午，小榛回学校办事，我步行往家的方向。

天气清怡，为了在春意中浸享得久一些，我绕弯从滨江公园里穿过。散步的人不少，三五成群，自说话语调到步伐都怀藏一种绵柔。树木以一种高于寻常行道规格的密度，迭种在路的两侧。法梧、香樟、栾树、掌形的枫香树，由于风为漫天飞絮提供燃料，便可知不远处还有柳树。日光与树枝的影子像一种针织法，罩落于晚春形形色色的衣衫上。在北京，尽管公园里也有清闲的老人跳舞、谈天，但节奏全然不同，不像南方市民自带一种对什么都不在意的气质。

我走了一路，越来越多的心事垒在体内——小榛是家庭之外新的一笔，骆驼背上一根沉重的稻草，我们究竟会走向怎样的关系？走出公园，我隔着刷过漆的铁栅栏向里回望：整个公园发着光，看上去遥远、动人，而我是一粒脱离这个星系的变异原子。

我回到父亲住所的门口，摸钥匙时，与正在张探的邻居打了照面：一张3D地图般沟壑横生的脸，乍看难以区分性别。头发向后梳拢，几近雪白一片，细辨才从头发长度上认出她是女人。

"你是他们家什么人？"她朝我笑，还算客气。声音像卷着砂砾，让人想到她喉咙深处翻滚的某种液体。

"我是……孟清河的儿子。"我犹豫着说。

她发出一声又慢又长的"啊"，转而又问："你准备搬来这里？"

"不是，就住几天，来看看我爸。"我说。

"没事，来吧。"她怪异地一笑，像要开导我似的说，"这个女人不好相处，有点疯头疯脑，但对你爸还算可以。有一次你爸在拉面店和人吵架，她冲过去把人骂得狗血淋头。哎哟，特别狠。"

这时，我已打开门，向她唯唯诺诺一番便进去了。

她说的女人想必是雅红，仅看这几天，根本难以想象雅红破口大骂的模样。我倒了杯水，困惑地徘徊在房间里。又打开抽屉，把她那些杂志大致翻了一遍。

一个人的过去像一眼涡流，以至于他者与其最深的共鸣不过是一阵痛苦的晕眩。

9

为了跟踪雅红，早晨六点，我就循着细弱的动静醒来。我屏抑呼吸，动作尽可能轻，迅速换上一身低显色度的灰衣裤。床头柜里，藏着提前准备好的口罩、棒球帽、一本供低头时看的书。听见雅红外出关门的声响，我连忙佩齐装备，掐算好时间，尾随出行。

我对这一带已相当熟悉，快步走上直通小区大门的捷径。这一日算不上晴朗，阳光淡得像被稀释的黄油。因是熟人，我尝试和雅红保持着二十米的距离，再远怕跟丢。此前，虽然也在电影里见过跟踪，但亲身躬行还是很紧张。我一边紧跟，一边说服自己：没有人会注意到我，我只是白日街道上的一个幽灵。

雅红的路线有一个常规的开头：一家农贸市场。雅红挑了一点鸡毛菜，又蹲下选西红柿。我佯装闲逛，跨过一个又一个摊位，绕向远处。跟到海鲜铺位时，一股浓烈的腥气扑面而来。我担心身上异味会引起雅红的注意，便去菜场对面一家咖啡店等候。大半个小时过去了，还没看见雅红的踪影。我不由得焦躁起来，唯恐她在我出神之际已经离开。我坐立不安，却也无他处可去。如此又过十分钟，雅红挎着袋子往外走，手中还捧一把韭菜。

　　接着，她去了一次超市。我格外注意雅红经过药店时的反应，其中有一家，她往里看了一眼，却也没走进去。十一点出头，雅红回到小区里的运动区域。她把手中食物挂在一旁，一抬步，踩上太空漫步机。四周没有人，她费力迈开步子，全神贯注地对抗着机器。我躲在丛荫里，她的喘息声被风隐隐推来，而她始终没停下。

　　虫群寄宿在绿植之间，此时已在我皮肤裸处留下许多红印子。我匆忙退出树林，为了制造和雅红的时间差，就去外面吃了午饭。

　　等我下午回家，雅红正在擦地。雅红极爱干净，但她不信任清洁工具的除垢能力，非要每天亲手擦一遍地板。她把头发扎成一束，有一两卷从额前滑落。身上仍然穿着那件睡衣，由于跪在地上，我一眼便从 V 形领口中窥见她的肉体。细密汗珠在她胸前凝起,像撒过一层糖霜。看见我,她抬头一笑。

"你爸爸在里面睡午觉,这个人呐,睡着的时间比醒着还多。"她匆匆往房间一指。

"他要是先去世,你打算怎么办呢?"话说得鬼使神差,我自己都吃了一惊。

"你想要我怎么办?"她已结束手头的事,搓完抹布,坐到我身旁。为了不影响父亲午睡,她凑得很近,说话如吹气,我这才发现她笑起来嘴有点歪。"老实说,你看他现在的样子,我怎么可能没想过这个问题?人各有命,不能强求,我总要自己生活好的。你放心,就算真那样,我每年也会去看他的,锡箔、香烛、瓜果,一样都少不了。"

她语气平淡,我却听得惊心动魄。我竭力装作平静,回答说:"你能想通,是好事。"

"只要你理解,我就满足了。"雅红说。

她轻拍了一下我的手背,一种痒扩散至我全身。我们坐得太近,她几乎贴着我的手臂,我笨拙地往旁边挪了一些。

"我女朋友也在杭州,过两天能来吃个饭吗?"我想拿小榛来救场。

"好啊。"她有点惊异,但很快压了下去,面色呛得泛白，"你什么时候有的女朋友，没想到你真行，口风紧，我一点都不知道。"

"嗯，有了，昨天电影就是和她看的。"我说。

"电影好看吗？"雅红斜目问道。

"还行，五十年代的黑白电影。讲一个女人爱上别人，就把丈夫杀了，伪装成游泳溺死的样子。"我一面偷觑雅红的神情。

雅红站起来，低叹一声，凝重如雾凇在她眉目间结起。从我所在的角度看，一种腐蚀性的沉郁使她双目浑浊，似在刹那间露出年龄的本相。雅红轻声说："可怜的女人，一定是找不到其他的出路了。"

10

父亲有一个随身听，深蓝铝壳，款式过时。每日沿贴沙河散步，他就公放音乐——都是几年前他自己用口琴吹的旋律，苏联歌曲。除了《莫斯科郊外的晚上》，还有《喀秋莎》《红梅花儿开》等。他不喜欢《三套车》，说曲调太悲凉。

父亲按下关闭键，音乐戛然而止。静阒环绕上来，慢慢地，我们才重新听见自然界正常的声音。大风逆向吹来，捋过耳膜时如一声声闷鼓。父亲走得很慢，我想扶他，但他推开了我的手。父亲问："怎么样？"

"我把家里的橱柜都翻了一遍，没找到哪儿藏砒霜的。也跟了雅红几天……"趁着单独散步，我本就想把情况告诉父亲。

"我是问口琴吹得怎么样。"父亲不自觉紧张起来，似有一根暗绳，猛地抽束他全身。见他如此，我也没再谈论音乐。我们默不作声走了一阵，父亲终于又问："你看见她和什么男人在一起吗？"

"没有。"我往跟踪的回忆里确认了一遍，对父亲说，"她喜欢在每家店里待很久，对着展示柜反复看，有点奇怪。但我跟了几次，没见什么人和她一起。"

父亲低着嗓子"嗯"了一声。河道似进入景观地带，亲水平台替代了此前的围栏。再往前，竖着几块立面水波纹护栏，上面刻了苏轼游望海楼所作的绝句：沙河灯火照山红，歌鼓喧喧笑语中。近黄昏，西侧有橙色的光斜来，把湖面染得神秘莫测。

"我不相信她，我从来都不信她。"父亲忽然快速地说，"她这个人很情绪化，什么事都做得出来，我一直有点怕她。"

"那怎么结婚了呢？"

我思忖着和雅红相处中的别扭之处，不管投毒是否为无稽之谈，雅红都是一个过于孤独的人——那些对外表的悉心维护，那些怀藏目的的取悦，还有看不见的盘算，对于尚未发生的遭遇的种种预防，或许她也在担心衰弱、失控、再次被抛弃。这点恐惧，足以让她变得凶狠不可测。

"我没别的选择。"父亲叹气，带有一种山雨欲来的低气压，缓缓说，"当时没钱，没地方住，生意也做不下去。想想来杭州是个重新开始的机会，'重新开始'，听上去多好啊。"

父亲恍惚地继续说着，絮絮叨叨："有时候，我怀疑是自己的问题。我也不相信上海的亲戚，手足兄弟，为点利益就断了联系。我十九岁到庐山，后来又去九江、上海、杭州，没有哪里算得上归宿。周围一起玩的人，换了又换。在九江的时候，别人都回去了，我因为结了婚不能走。厂里老师傅劝我，我还记得他怎么说的：人之所以想不开，是因为他们总是把当下所在的地方看成终点；要往前看，以后路还长。但现在没什么路了，我每天都在想，大概自己离死不远了。这辈子浑浑噩噩，到底做过点什么呢？每次都弄得一塌糊涂，是我自己的问题，怪不得别人。"

"也没人怪你。"我宽慰他，听见自己的声音在湖边消散，像出自另一个人之口——一个疲惫而无能为力的人，靠痛饮安慰剂，以对痛苦背过身去。

"其实还是在九江最安心，不过当时没感觉。"父亲嘿嘿一笑，"你小时候，我一直带你出去玩的，你记得吧？"

只有长江边那些模糊的画面，人来人往，我们在一个嘈杂而开阔的避风港里。忘记父亲与母亲之间的倾危，忘记同样的困境还会循环发生。有一次，父亲告诉我，年轻时他很喜欢晚春的黄昏，感觉世界正向无尽之处延展，野火烧亮每一道深渊。他说的想必是更年轻的时候——真正的年轻，你不会在意现实中暗藏的任何棱角，受伤也不过是诸多体验的一种。然而，父亲并未意识到，说这话时，其实他也正年轻，坐拥对人生走向的选择权。

"我好久没回去了。"我说。

"你妈身体还好吗？"父亲谨慎地问，多有犹豫。自从离婚以后，除了微薄的抚养费往来，父亲从来不过问母亲的事。只要不谈论过往，就会有命运真的被重置的幻觉。

"挺好。她把房子卖了，现在和她二姐一块儿住。"我说。

本以为父亲会追问，或借此表达对这段误入生活的歉意，但他只是背着双手走路。忽而，父亲伸手拍了拍我的背，说："没关系，至少你赶上了好时代，到处是机会，好好珍惜。"

"那你们准备怎么办……你和雅红。"我问。

"和她一分钟都待不下去。"讲完那些以后，父亲似乎舒畅许多。这话说得轻描淡写，像在开一个玩笑。

11

等我开始为这场约定后悔时，早已错过了制止的时机。

在小榛的催问下，我不得不把住址发给她。小榛在陈鹏单位的实习期尚未结束，说下班过来。自上回游西湖后，我和陈鹏再未见面，联系寥寥——或许这是老同学最适宜的社交方式，偶尔一见，平时互不相关。在此之前，我自认与小榛只是一段模棱两可的关系，可不经意间，它已制造出了责任。照小榛计划，她一毕业就来北京求职，同我一起生活。她说得果断又率真，好像除此以外别无可能性，这使我无法回绝。

为了迎客，雅红早就开始筹备：从房间细部的清洁做起，摆置水果、零食，洗切晚饭食材。她穿行于几个房间，偶尔匆忙地向我瞥一眼。临近五点，雅红突然想起还缺饮料，便让我去附近超市一趟。

得益于跟踪雅红的经历，我熟知那个超市的位置。白天，卷帘门缩在顶部，锈迹模糊而遥远。往里走，几乎没有人，空间被一排排货架整齐切割。以前来这里，只顾靠货架遮蔽自己，以免被雅红看见。直到此时，才有机会观察每一层的物品——这些日常生活的切片，雅红也曾迷失其中，反复逡巡而不知所需。我想到小榛将与雅红见面，她又会作出何种评判？这场暗涌丛生的晚餐让我心悸，我却已无力阻止。

回杭的这些日子里，我逐渐意识到，也许自身的怯懦正是从父亲这里继承的：真正阻止我们改变的，是基因里不祥的代码，天性中的某种毁灭性；而命运，只不过是一种用以印证的介质。

由于在超市耗时过久，回到家，天色已黯淡。卧室的门都关着，客厅只开了一盏昏黄的台灯，一种古怪的沉寂砌在屋里。小榛还没来，父亲似乎也不在家。雅红独自坐在桌边，连衣裙很宽松，完全掩藏住她的身形，使她看上去只剩一颗头颅。幽暗的蓝色从窗外溢进来，渗入雅红冷峻的面孔。她的五官本就立体，如今显得格外生硬，阴影往脸上投射。

僵持三五分钟，我勉强开口问："他们都到哪里去了？"

我不敢直视雅红，假装往桌上放饮料。许多餐盘已搁在那里，大部分是熟的，但已无热气；还有一两盆生的，泛腥味。一瞬间，强烈的失措令我体感内陷。我对外界无所知觉，却能感到血液在肢体里流动，以及各处神经同时微微膨胀。

"她不会回来了。"雅红说，声音很轻，如同一种幻听。

"谁？"我吓一跳。

"那个女孩。"雅红说，"你为什么骗她？你在北京哪有房子，你自己户口还在九江呢。"

我本想解释，可张口结舌，不知该说些什么。

"你和她乱说什么，都没关系，但是你记住——"雅红继续说，"男人永远不能骗女人，否则要遭报应的。"

或许因为房间里太安静，雅红的话激起一阵回音。语调阴柔，像一把针轻轻刺进来，我不禁头皮发麻。猛一寒战，想到小榛可能已把我对她说的全盘托出，雅红知晓一切，此刻她俨然是一个审判者，正在计量我和父亲理应受到的惩罚。

我只觉毛骨悚然，呆立在原地，浑身贯穿一种历经山崩地裂后长久不息的麻痹。

12

收到父亲去世的消息，是回京半年以后的事。

那几天，我碰巧发了一场高烧。皮肤皲裂，手尤其蜕皮得厉害，如有火源在不知名之处不断炙烧。舌头也肿胀，轻轻抵住上颌，刺痛难耐。我请了病假，成天躺在床上，以解药物嗜睡的副作用。醒来时，常闻到房间里充满异味——那些不健康的呼吸织出一障迷雾，让我晕头转向。便是在那种状态下，白日梦与现实开始混淆。

在混沌的境遇之中，替代父亲形象的是一只漆黑的硬壳虫。它无规则地到处乱爬，迫使我紧盯它的轨迹。困惑、焦虑、压抑，如波浪迭起，令人窒息。我的脑皮层下似有一张银箔糖纸，悉索作响，反射各种刺眼的光线。在那些折叠出的镜面碎片上，与杭州相关的回忆慢慢显现。

自那夜晚以后，我再未见过雅红。第二天，父亲送我去火车站。出租车一路前行，外景流线一般滑动。我们究竟说过些什么，关于雅红、生活，或只是当下不重要的感受。临出发前，我从站台里的 ATM 机里取了一些钱。父亲不用手机，对电子账户更是一窍不通，他只信任可以触摸的实物。钱并不多，薄薄一沓，父亲把它们折好，小心地放进口袋。我望着他审慎的模样，忽然心生凄凉，为这命运尾声种种有限性的返照。

在后来的一通电话中，父亲告诉我，他已和雅红分居，独自住在上海。他讲了一个小区的名字，如今已消弭在极不稳定的记忆陀螺中，但也可能我从未记住过，他说出口时我就不曾听清楚。那段生活或许算得上平静，父亲和管理社区垃圾站的老头关系不错，偶尔去帮忙清扫。作为回报，老头允许他领走一些废弃品。父亲说，你不知道，人们可能把任何东西丢弃，有些明明是新的。

往后不久，父亲就去世了——无需药物、毒剂的催化，他凭自己也能走到这一步。一个陌生号码拨来，告诉我这个消息。对方说，大殓已经结束，我不回去也没关系。他向我告知父亲所在的墓园，目前骨灰寄存在租赁的格子里，将在小寒后入葬。放下电话，我上网检索了墓园的情况。墓园在港口新区，黑底金字的石碑排得密集，逢清明、冬至等大节根本站不下人。官网简介里写到：园内共栽绿植一百二十七种，亭台楼阁一应俱全，造景四时变幻。但我想，那些景象仅仅作为寓意而存在，大部分时候，墓园空荡荡一片，只有从东方海面上远道而来的风。

一些更恍惚的时刻，我好像重新置身于杭州。

日落以前，我沿贴沙河而行。是几乎无风的天气，云层瓷厚，边缘沁出一圈荧光的橙红。世界正趋于黯淡、静谧，仿佛河底的妖兽逐渐停止了呼吸。我脚上穿了一双运动鞋，小时候母亲买的打折商品，现实生活中我已经很久没见过它了。我一边往前走，一边怀疑笼罩着我的只是一场梦，但一个人真的能分清梦与回忆吗？快上桥时，我远远看见雅红站在拱桥顶。她的嘴张得很大，面孔狰狞。稍凑近，才听见哭声。一开始尖细，似乎自制意识的藤蔓尚能拉住她的理性；一声声拉扯之间，声音变得越来越响，转为一种骇人的嘶吼，就像猛兽身处绝境时，靠空耗力量来拆解自己，以期比死神早一步毁灭自己。

我犹豫着是否要上前，父亲突然拉住我。我一惊，想问他什么，比如我们怎么走到这一步，接下来又要往哪里去。可父亲摇了摇头，或许让我不要轻举妄动，或许示意一切已经结束，或许没什么意思，只是一种停顿。

于是我们站着，对着即将降临的墓园般沉默的春夜，什么都没说出口。

II

即兴

戏剧

北京

即兴戏剧

　　四月尽头的一个早晨，我从床上跳起来。手机还在响，像一阵雷雨，一只没喂饱因而充满攻击性的动物。我按下接通，传来小万急躁的声音，到哪儿了？我说，还有五分钟。我挂了电话，刷牙、洗脸、穿背心，外面套一件红白格子衬衫，迅速提上运动裤。天气略凉，晚上会更冷，但太阳掌权的时间内，高温仍将猖狂。我在学校门口打上车，匆匆钻进后座。摘下口罩，迫不及待地大口呼吸，木乃伊除味剂般的香薰混淆着淡淡烟味，从鼻腔滑入喉咙。我交叉双手，对着街景沉思，可它们变得太快了，我只好把目光移向云。

　　一个小时后，我到达约定的车公庄地铁站。小万、陈舸、三明正等在那里，气息奄奄，一地烟蒂。小万上来兴师问罪，你这人怎么这样。我说，对不起大哥，天有不测风云，车有撞摔碰堵。小万说，"五分钟"的意思是"最多还半小时"，你看看我们都等多久了。我虚心求教，那大概一个小时应该怎么表达？小万说，就说"快到了"。我说，学习了，下次我就这么说。小万不屑地瞥我一眼说，你还想有下次？

我们又一次叫来车，往京西郊野驶去，日光和万物的影子交替流过我们的肢体。他们聒噪不断，使我无法再看云，只好把注意力收回到车里。这是一个极为乏味的组合：四个文学从业者，乌合之众——我和陈舸就读于一所高校的写作专业，小万常年为书店配货。三明比我们稍大几岁，中学毕业就不曾工作过。他凭最小成本插附在北京城的缝隙里，以一种对小说的狂热代替了物质需求。尽管如此，你不能说他是个"苦行僧"，他的生活只是遭到一种超现实力量的稀释，以致在迭起的低谷面前，他始终保持着非凡的钝感。

这个周末，我们拣了一条野外徒步路线。起点位于门头沟的王平村，沿京西古道一路南下，预计下午稍晚能抵达潭柘寺。汽车停在一道拱桥前，对岸立着一座文化馆，老人们露天下棋，俨然听见花生壳徐徐落往泥土的声音。我们所在的一岸则异常清静，山榆、垂柳皆不喜惹是生非，任由嫩绿在它们体态中自由分布。树种间杂，尽情向远处延伸，似一种空寂的阵法。桥下的池水总体清澈，但为荫蔽一些绿藻，折射间已失去通透。我们打开百度地图，把自己的位置不断放大，可知周围一切尽属王平村境内——五百米内有一条公路，沿它前行则可见瓜草地景区。

我们依照地图走，烈日开道，由不得人滞留。小万有过徒步经验，次数不多，但足够编成历险奇遇。没走多远，他就已经讲了好几遍，以至于只要他开个头，"当年我爬箭扣长城的时候……"，我们便能越过细枝末节，直接报出结论："差点摔死！"小万忿忿扭过头，把好逸恶劳的我们甩在身后。果然，我们没有让小万失望。接连爬过几段15度的斜坡，我们累得气喘吁吁，还不如路边散养的公鸡精神抖擞。

陈舸面色苍白，虚汗浸湿他撞款无数人的优衣库衬衫。陈舸问，我们是不是走五公里了？小万一惊，你做梦呢，这才二十分钟。三明说，要不……我们还是打车吧。小万朝我一指，啐他们说，你们体力还不如一个女孩子。我连忙表态，其实，我也想打车。小万连骂几句，整个人逐渐松弛下来，叹气说，别这样嘛，来都来了，我们聊点有意思。于是，我们一边走，一边从如何快速发家致富聊到疫情后的世界格局。话题转来转去，如同赶羊，很快掉入新一轮的疲倦。

为了填补沉默，我对他们讲了近来遇见的一件难事。为此事，我坐卧不安，大脑某处像绷了一根铁丝，但又说不准它究竟在哪里，所以每一刻都吊着一种警惕。大半年来，事态持续恶化，弄不好我还有性命之虞……

我有个校友叫吴猛，连云港人，身高一米九，虎背熊腰，相比之下头有点小。有时他把头发剃光，扬短避长，这就使头显得更小。吴猛比我小三届，就读于国学院，具体专业不明，只知道国学院很有钱，建了全校唯一一栋带下沉式庭院的楼，我经常去楼里办公区偷用微波炉。

认识吴猛，源于一场即兴戏剧。这种戏剧形式可追溯到十五世纪的意大利，鼎盛时期，热度能与黑死病一决高下。到现代，被包装成具有"解压、唤醒灵感"的功能，流通起来愈发理直气壮。每年逢心理健康月，学校都会组织几次，我和吴猛参加的是同一场。

在即兴戏剧的第五个环节，主持人将每四人分为一组。根据观众提议，演员获得各自角色，四人方阵的每条棱边轮流表演。吴猛扮演的是"死神"，与他左右搭戏的分别是"白娘子"与"Siri"。死神和白娘子演了一段职场戏，大致是见白娘子堂堂一介名妖，被埋没在雷峰塔下，就想挖她去西方当天使。戏里的死神巧舌如簧，一则台词极富逻辑，向白娘子陈清利弊，指出她的能力、职业操守，以及被职场 PUA 的现状；二则声情并茂，法海听了都动容，绛珠草听了哭到淹死。然而，死神的戏力似乎在下一场里耗干了。当他面对 Siri 时，竟久久吐不出词。Siri 本就是个需要对方推动的角色，见此情境，亦不知所措。双双发愣片刻，死神忽然走到舞台中央，念起一段莫名其妙的独白：

> 这两三年里，我经常梦见一列火车。绿皮的，很长，有些窗户开着。火车停在一条铁轨上，旁边是麦田，好像还有一些枯掉的花，天太黑了看不清楚。火车一直停着，没乘客来，也没发动过。但昨天晚上，火车居然向前动了。非常缓慢，是蚂蚁都能逃开的速度。它像在思考着什么……

台下的观众都看呆了。这没什么问题，假如对艺术存点敬畏之心，看呆就是一种狂喜状态。但死神似乎有点不适，他期待着台下的回应。于是，他补充说，我说的都是真的，这不是戏剧。台下掌声热烈起来。在戏剧中高呼"这不是戏剧"，他简直像贝克特剧作里的人物。一个以为自己将死的人，一个没料到自己会在荒诞中永生的人。

我以为活动就此结束，正准备走出阶梯教室，吴猛忽然追了出来。他眉毛拧成一团，满头汗涔涔。很明显，随着观众离席，颁发给他的死神身份已经失效了。吴猛说，师姐你好，我也很喜欢写小说，可以加个好友吗？我说，你好，我并不喜欢写小说，但我确实在写。我扫你吧，别人扫我的话，我经常点开的是付款码。吴猛随我走上林荫道，一路不说话。为了不重蹈 Siri 的覆辙，我只好主动引导话题。我问他，你写什么类型？他说，什么都写，包罗万象，宇宙洪荒。我问，喜欢哪些作家？他说，没有，我觉得都不如我。我又问，一天写多少？他说，精力好的时候，一天写过十二万，但不是每天都写。我倒吸一口凉气，牛逼，你是天才，中国版芭芭拉·卡特兰。他说，不认识这人。我笔名叫吴猴儿，用来平衡我的真名，人不能太猛，这是中庸之道。我说，真厉害。我宿舍就在前面，再见。

当天夜晚，吴猛给我发了一篇 280 万字的小说《1999》。我往下划几章，手机屏幕频繁卡帧。我故意拖延许久，半夜待他入梦，才斟字酌句给他留言。我说，小吴，光阴似箭，这样的篇幅恐怕会射死读者。能否先给我看一些中短篇？此前你提到投稿，以我的经验，从短篇开始发表更容易。如有合适的，我也会推荐给编辑。第二天，吴猛又发来一组由《聊斋志异》改编的小说。我读完《叶生》，困意汹涌，睡醒又打开《小棺》，读不到几行室友回来了。室友说，今晚6点寝室楼停电，你有备用手电筒吗？我说，我找找看。我一边在书桌上摸索，一边琢磨吴猛小说的问题。第一，他改编的幅度太小，像个拿一把指甲剪去修园艺的失败园丁，说他纯粹做了古文翻译也不冤枉。第二，他语言很糟糕，用词粗糙不谈，他最致命的毛病是缺乏和语言的固定距离。他仿佛一台输入许多烂句子的电脑，凭惯性将文字凑在一起，不时出现"她哭得上气不接下气""把匕首送入胸口"之类的摘取式语句。第三……室友问，你找到了吗？我反问，找什么？室友加快语速说，可以照明的器具啊，蜡烛也行。我说，我有个前男友总送我香薰蜡烛，各个味道都集齐了，无花果最好闻，像白垩纪时代被割开的树皮流下的奶油味。室友说，后来怎么分手的？我思考了五分钟，通往回忆的街道正因早高峰而堵车，于是我只好承认忘了。我说，不过我记得分手闹得很难看，他砸了一个热水瓶，内胆银片碎了遍地。我捡起最大的一片，形状如海豚，映出我哭泣过量引起的黑眼圈。室友说，好可惜。我点头，把吴猛和他的小说忘得一干二净。

口袋里的手机震动起来，一边伴随着鞭炮响——我设置的铃声。我瞥一眼号码，示意小万他们别说话，才接了起来。电话里传出一个很熟悉的男声，很好听，普通话也标准，一个不沙哑版本的张学友。他劈头盖脸地问我，你在哪里？我说，在教室自习，你有什么事？他一停顿说，不对，你在外面，到处都是风的声音。不管你在哪儿，我要来找你。我说，我们不是已经说清楚了吗？他说，不是一回事。你最近命犯小人，重则有血光之灾，我不放心。我说，你还懂这一手，我什么命来着？他说，说了你也不懂：是剑斧凶器，也是霜天明月。我说，听起来好冷，难怪我从小怕冷，穿多少都不够。沉寂突然降临，在五到十秒之间，很快又被同一种声音打破。他似乎端正了腔调，像一个陷在沙发里的人猛地站直。他说，再给我一次机会，以后我照顾你。你不信也没关系，我很爱你，我把最珍贵的东西都给你了。我脑筋一转，你是说那三颗智齿吗？他说，这是其中之一。我说，我在一个群里看到有人卖这玩意儿，三百块可以买五颗，你这点也就一百八。他嘴里发出轻微响动，大约多少有些生气。他说，你什么都不信。为什么你永远、永远这么平静？

我刚要回话，电话已被挂断，四面焦头烂额的浓绿围拢过来。我从前很喜欢一句诗，无头无尾：山是山的影子，狗懒得进化。后一句讲，夏天，人的酶很固执。不过现在夏天尚未到来，只露了一二丝烫意，试探人们是否还记得它。他们都笑起来，好像空气里藏着一种逗人发痒的絮状物。陈舸问，你男朋友啊？我说，早分手了。他继续问，怎么分的？我想了想说，有意思，人们都想知道造成结局的原因——不是真实的原因，而是那个被提炼出来的替罪羊。真实的原因是一串连贯、不可叙述的过程，你只能凝视它，感受它如何无奈又决绝地指向某个尽头。

鹰嘴峰到了，遥远的象形曲线延展着，天光从岩石与新叶的裂缝间落下来。我们说不出话来，三明手机的摄像头摔坏许久，让我拍几张山峰的照片发给他。在相册里，山被无限放大，模糊的像素毫不费力地把它解构了。

一开始只是为寻刺激，小万带我们离开公路，抄丛林中的近道。遍地杂枝之中，我们捡起一些适合当拐杖的，拄着爬坡。陈舸很快迷上野路，领头往低矮的灌木坡里钻。折腾几回，发现虽缩短了步行距离，但攀爬所费的精力远高于走一条平平淡淡的柏油路。我们饥肠辘辘，从包里拿出薯片、小熊饼干、甜筒状巧克力，还有花高价在景区入口买的玉米和茶叶蛋。一顿狼吞虎咽之后，身边只剩下水。缓缓喝一口，液体通过喉道，唯觉一片空荡荡的阴凉。

不知走了多远，我们全然受制于荒郊野岭，丢水漂似的推远了那些城市图景。到岔路时，突然看见一顶草扎的帐篷。对面坐一个男人，穿黑色制服，浑身各处锈着"保安"的拼音。此人眉目浓密，黑脸短下巴，凶悍相随中年降临愈发得到发挥，像个流落现代的尉迟敬德。小万从口袋里掏出一盒"华子"，故作镇定地套近乎，老师，请问这条路到潭柘寺吗？保安一犹豫，接过烟叹气，远着呢，今天下午还有阵雨。见他有放行之意，我壮胆走上去。保安脚踩一双大红的运动鞋，旁边摆着后跟踏烂的黑皮鞋。他生活的碎片明晃晃地摊开在水泥地上：一只染黑的手套，蓝皮文件夹，牙膏、塑料杯、铜盆，一个崭新鲜亮的Gucci钱包——真假不用说。

我们正打算从横栏底下钻过去，保安喝止说，手机号来登记一下。小万蹲地上填表，保安饶有兴致地和我们攀谈，你们还是学生吧？我一口应承，没错，活到老学到老。保安问，在哪儿上学？陈舸突然来了胡扯的兴致，接着说，北京法制大学，读的新丝绸之路海外贸易法。保安险些竖起拇指，一副敬仰的模样。他说，好学校啊，我以前在那儿附近当过保安。我问，为什么不干了？他摇头说，工资太低，养的两条狗整天饿得犯浑，后来全放走了。不过这里工资也低，我做完这个月就回去了。小万已经完成手续，甚至顺便重新系好鞋带。他站起来，回归我们这支即将移动的队伍。我最后环扫一圈四周的远景，深浅不一的植物驻扎在视野里，如此茂密，仿佛光区分它们就能花掉一辈子时间。我们不再与保安交谈，但他意犹未尽，冲着我们正游离的后脑勺说，我来这里已经十七天了，人影都瞧不见，很是寂寥。他用以收尾的言辞过于漂亮，听上去不太真实。我本欲再回头看他一眼，但我想不出这一眼可能引发的任何意义，因此很快打消了念头。

吴猛确实有些做间谍的技巧，不出几日，把我的课表摸得一清二楚。我采用"间谍"而非"侦探"，说明我对这件事大体上并不认可——尤其当我上完"法国美学与文论"，脑载一堆消化无能的名词时，看见他正等在教室门口。他满脸迫切，目光越过人群攮向我。

我走到他面前，就像走往一堵墙。吴猛比我高许多，说话时微微佝偻背脊，词语像水穗淋到我身上。吴猛开门见山，师姐，小说看完了吗？你准备投给哪家杂志？这些年来，我见过不少自恃怀才不遇的作者，功利已不足以激引我任何情绪。我慢条斯理地说，小吴，小说我大概看了，总体比较稚嫩，但没关系，写作者都要经历一个"抽屉文学"的阶段，坚持下去，就会有人来把你拉开。吴猛一愣，双唇无声嗫嚅，嘴上死皮像细小的绒毛随之飘动。他问，什么意思？下课已是五点半，我们又在门口站了十五分钟，我饿得不耐烦，就随便敷衍说，你得知道自己创作的意图，写什么，如何写，以及为什么写。你回去想一想，为什么要改编《聊斋志异》，依我看，这是个很平常的题材。我正要走，吴猛一皱眉说，我小时候，我妈一直给我讲里面的故事，至今印象很深。我说，写作源于生活，你这些二手材料……他打断我，既像反驳，又像还停留在上一个问题的尾音。他说，那时我大约五六岁，夏天夜晚，我经常看见不同的鬼在房间里走动，满身白色的火焰。我连夜大哭，吵醒了我妈，她就给我讲聊斋故事。说来奇怪，听了鬼故事，我反而心安，再也不怕了。我问，那你爸呢？他摇头说，我出生不久，他就死了，留下一屁股赌债。我忽然明白过来，不顾失态地拍吴猛肩膀。我说，小吴，我懂了，你应该从你和你妈的生活写起。

往后的一周里，我和吴猛在图书馆见过两次。当你在校园里记熟一张脸，你会发现它不时出现。吴猛和我远远相望，并没上前打招呼。我以为事情就此过去，谁知有一日，他又给我发了消息。他说，我写不出来，我不会写小说了。我立刻回他道，太好了，你现在弃暗投明，搞好专业课，毕业还来得及当国家栋梁。他说，那不可能。你伤害了我的写作能力，但别想我放弃。我顿时语塞，假如我是个稻草人，此刻恐怕已自燃起来。"伤害"——像一种咒语，试图撕裂边界，将人死死捆绑在一段关系之中。它说明了一种缺失被恒久地标注，而你所需要付的代价始终悬而未决。

学校的咖啡馆叫"水穿石"，因人对时间幻想而溅起的一种立场。我约吴猛在此见面，我先到一会儿，在镜子里看见红绒面沙发椅垒出我体形的轮廓。当时我已不再生气，但我必须对他解释清楚两点，一来我的建议无可指摘，无论如何，我比他更懂得文学；二来我对他毫无企图，根本谈不上"伤害"（包括嫉妒、欺骗、打压），就像我对任何人一样。我从未预想到，那天竟成了我们古怪联结的起点。

吴猛来时，带了他勉强写成的一篇小说《小翠》。小说不长，第一人称叙事，由两个片段搭成。上篇写他童年时，母亲忙于工作，他寄居于外祖父家。当时有一个钟点工叫小翠，从农村来，爱逞强，自诩乐于助人；外祖母利用这一点，凭夸奖让小翠下不了台，不得不多干大量活。小翠自身没文化，但儿子高考考上了清华大学。下篇写母亲某一次重症住院，每日由他陪伴挂水。医院走廊一长条，摆满床铺，多是些短期无法出院的患者。有个老头，年过七十，整天在一张床铺前喊"小翠"。小翠是他妻子，成天昏迷不醒。老头不断重复小翠的往事，母亲也是流水听众之一。小翠年轻时任乡村教师，后来进城依旧教小学语文。老头说，小翠以前逢农忙，夜夜劳作，一天只得两个小时空闲，如今总算把睡眠全补回来了。临结尾，他问母亲，是否记得从前外祖父家有个钟点工，也叫小翠。母亲既不信，又不屑，说你外祖父这么节俭的人，怎么可能请过钟点工呢？

我当场浏览起小说来。吴猛在旁反复强调，小说内容皆属真实，如有虚假天打雷劈。我读完许久无言，与此前所写的相比，这篇无疑更趋近小说的核心。只是他走向的是一团雾，并不真正明白那背后是什么。我想了想说，小吴，根据我的经验，真实可以分为两种（"二"是个好数字，象征无尽开权的树枝）。一种是普鲁斯特的真实，通过个体无限延伸乃至霸权式的感受，使诸多往事拓片构成一个清晰的空间。其中，人是经验的载体，同时也是反哺机制的构建者。另一种真实则更宏阔，来源于历史、现代、人类进化相关的一切综合知识。它永远无法以精确的形式呈现，只能表现为流动的趋势，但"流动"本身是可靠的。这两种真实没有优劣之分，可是全然相悖，一个人不可能鱼和熊掌兼得。现在我们刺破文本的壁垒，直接就真实而非其存在范畴进行探讨。你想写的，是哪一种真实呢？吴猛有些发愣，至此，我意识到此行的第一个目的已然达成，但仍需加固。我说，小吴，如果你不能立刻回答这个问题，那么你已经选了第一种。

吴猛显得更为恍惚，像要睡着似的，勉强开口道，你直说吧，我现在要干嘛？我盯着他看了一会儿问，你最近为什么焦虑？你想一想再回答。吴猛说，我突然对小说产生了怀疑，这从没发生过。窗外下起雨来，水粒攀在玻璃上，沾连出无数散点透视的新角度。几栋教学楼巍巍立在远处，仿佛被银杏树与水幕隔离在另一维度。北方少雨，见水倒是一件令人轻松的事。我等吴猛回过神，缓慢地问，你还记得吗？在即兴戏剧里，你说起过一些关于火车的梦。某一日起，火车开始徐徐发动。在潜意识层面，这说明某种被冻结之物松动、苏醒了，一旦开动，火车便更容易造成故事。假设你小说依照现实而写，你母亲是近期才生病的吗？吴猛说，就上个暑假，我当时在家，但这和小说有什么关系？于是我告诉他，有关系，我在帮你找小说里缺失的东西。

山路深处藏一片杉树林，当我们路过被细木环抱的三亿年沉积岩时，电话铃又一次响起。铃声像刚摩擦过磷面的火柴，四周寂静刹那间遭到化合。我正在辨认岩石中风化的碎屑，猛地一惊。拿起手机，正是那个熟悉的号码。

我按下接听键，他稍一停顿，大约惊讶也通过电话信号传染到他那边。接着，他自顾自地说，有一件事，我很生气，恋爱时你老以为我在骗你。我说，想不到你这么小肚鸡肠，我都忘了，我们向前看行吗？他笑笑说，你听起来像个交警。我说，你现在应该多和朋友出去玩，看看展览，买点当季的衣服。剩下的钱存到基金里，三年后再去看，所有烦恼都会消失。他说，你真有意思，让我更爱你了。我差点起鸡皮疙瘩，我说，哎，你能不能别老提"爱"，我不太适应。他说，怎么了，爱是最伟大的力量，一部电影里说的。我说，对，但不是你这种爱。你根本不了解我，你把那些爱的动力叫作"激情"，可我觉得称为"幻觉"更贴切。他急躁起来，不由分说地打断我，你总想那么多干嘛？你想要什么样的生活，我就为此努力，如果有任何方面拖累你，我自己会放弃的。我说，在柏拉图看来，你此刻的决绝相当危险，你将永远服役于当前的爱，并可以为这份爱背叛任何过去的承诺。他笑起来，像对一个真正的笑话那样。当他再开口时，却莫名间杂了一种严肃。他说，你不要以为只有柏拉图才懂爱，普通人也有普通人的爱。你说的可能对，但它太纯粹了。你知道普通人是什么样的吗？因为无知，总是过着浑浑噩噩、矛盾重重的生活，没有标准能衡量我们。

我放下手机，一个更切身的世界笼罩下来：白日移至中庭，植物的密度消退，为瓦砾与土房腾让空间——可惜房屋已废弃许久，半座屋顶不翼而飞。我走进去，小万捡了一根树枝，正捅向房梁。三人一同仰头，背脊微微后缩，就像在观望他们协力发送的一颗卫星。听见动静，三明招呼我说，你快看，以前这里是矿场的办公室。我丝毫没收集到与矿相关的线索，但既然他如此说，必是率先找到了凭证。往里另有一室，保护得更周到一些，除了脏别无破损。划成九格的窗置在南墙，日光毫不矜持地斜跨入地。其中一面墙糊着报纸，纸面颜色已焦黑，但勉强还可以阅读。右侧写了一行黑体大字"蔬菜生产步入完善成熟新时期"，左侧有一首诗引起小万的注意，他念了几句：院里翠竹青青，篱笆上开满了鲜花。几只山羊悠闲地吃草，葡萄架下卧着一群白鸭……诗题为《土家族人》，作者贾永龄。我有些游移，好像在日常坐标轴里，这间房子是诸多虚数之一。我打开手机浏览器，网络不稳定，只能断断续续地搜索信息。我试着从同名者里认出这位"贾永龄"，但信息很少。可以确认的只有一篇友人的悼词，写在大约十年前。报纸的中缝窄窄一条，在文艺版面与民生版面之间架起一座怪诞的桥。有一行写着：北京电视台20：20 23集连续剧：第二条战线（16）。当时有线电视普及了吗？

北京有多少台电视机？有多少人在看《第二条战线》？一个寻常的夜晚，紧接着又一个，人们摊散在每一个 20：20 里就像牌面上的一粒黑桃、草花，随着扑克被循环地打出去。在这过程中，一种重复却又难以把控的元素隐藏起来，而那正是当下相对匮乏的——时间。负载我们的这一刻被多重时空穿透，悻悻向感官的边界逃逸而去。

出于恶作剧，陈舸把我的名字写在墙上。我捡起一块石片，毫不留情地在下方补了陈舸的手机号码。小万用树枝敲着门槛说，少磨蹭，日落前得到潭柘寺。潭柘寺你们听说过吧，千年古寺，武则天时期是幽州第一华严宗寺庙。据说里面有块砖，印着忽必烈女儿跪拜的两个脚印。陈舸不满地说，这种瞎话太多了，还有说马克思在大英图书馆留脚印的呢。小万说，那就对了，人类文明史不都是一步一个脚印走出来的吗？赶紧，到那里我再带你们长见识。

我们也不是非要长见识，但仔细想来，见多识广总没什么坏处。于是，在无邪地映衬着日影的山石间，我们变换着位置，向遥远的潭柘寺缓缓出发。

有一阵，我和吴猛成了水穿石的常客。位子固定在一个半封闭的隔间里，天越来越热，吴猛来时总是一身汗。他打印出来的小说稿上布满水迹，翻得皱烂。我们不断谈论他的小说，吴猛虽对小说一知半解，但他通晓自己，所以对话多少能进行下去。

比起此前写的聊斋题材，吴猛的语言已柔顺许多。矫正语言并非捉虱子，而是唤醒一种与小说相契合的表达方式。因此，我们试图往小说世界的更深处跋涉。有一次，我们说到"小翠"还算不得贯穿上下篇的暗扣。我说，至少我读来不是。上下篇里对照暗藏的，是一种对母亲缺席、消失的恐惧。尤其在下篇里，小翠变成了一个趋近死亡的角色，她丈夫的陈述就像一场梦境——而母亲躲在这些情节背后，观看一切。吴猛说，其实她也没想很多，只是行动艰难，夜夜失眠。我说，对，但你总是搞混。我说的是小说世界，现实不过作为一种参照物。在这里，所有真实都由你分配。所以你来看，母亲此时的感受是什么。吴猛看起来还有些热，两腮渗出微弱的汗。他说话很慢，好像一边在回忆。他说，她躺在那里，对周围失去了掌控。她的话越来越少，一旦开口又容易喋喋不休，通常是说一些非常琐碎的事，比如小翠的丈夫如何拿手表压泡面。吴猛的叙述似有所流露，我连忙指出说，她的外界可能正在破碎，而她失去了整合的能力。"沉默"像是一种概化外界的技巧，她会越来越安静，直到彻底从外界脱落。吴猛的面部肌肉变得僵硬，某种思虑拖着他下陷。不多时，他猛地抬起眼，仿佛那个答案令他震惊似的。他说，我知道了……她的感受是，她被抛弃了。我说，这样来看，一是小翠和丈夫让她看见自己失去的东西；二是死亡，小翠较之她离死亡更近，对小翠的观看，也足以让母亲受到死亡的威胁——在这两个层面上，她都被抛弃了。吴猛点头。我说，现在，我们来解决"小翠"这个符号过于缥缈的问题。根据我的经验，你应该再加一章，虚构一段父亲为一个"小翠"而背叛母亲的情节，把握好"抛弃"的尺度。"小翠"、你、母亲构成一个等腰三角形，作为底边，你和母亲各行其是，但相互通感。记住这一点。

不久后的雨夜，吴猛翻过女生宿舍的栅栏，飞溅的泥点像一身虱子。趁宿管换班，我把他领到一楼的自习室。当时我已睡下，忽然收到吴猛消息，被迫起来为这不请自来善后。我拿积灰的纸杯给他倒了水，不耐烦地说，小吴，大半夜进来有什么事，你的身手倒是比你的小说好多了。吴猛不理会我，拉开防水外套的拉链，从里面翻出一叠手稿。我一摸，A4纸透着热气，层层交错像一块酥油烧饼。吴猛满面兴奋说，你快看看。我勉力克制怒意，但它还是从字句中渗出来。我说，小吴，首先你得明白，地球是围绕太阳转的，不是围绕你转的。其次，我也没收过你钱，你也没救过我命，无论从哪个层面看都是你欠我多一点，我没有义务听你差遣。现在，我要去睡了。吴猛连忙站起来，把稿子往我手边递。吴猛说，师姐，我人生最后一点意义都在这里了，请你务必看一下。

在最新修改的小说里，吴猛将章节重新分为上、中、下三篇。下篇新增一则父母轶事，母亲听到父亲与一个叫"小翠"的女人打电话，言辞暧昧，费许多泼辣劲终于与父亲离婚——他甚至尝试去刻画母亲因此遭受的痛苦。我放下稿子，雨早就停了，夜色中展露一种不知名的清空。我有些沮丧，对吴猛说，小吴，且不论你写得怎样，这一章里，小说的感觉完全错了。在我读小说时，吴猛因沉浸于期待之中而焦虑难耐。听闻此言，顿时阴沉下来，好像身上有一道光的屏障随之破裂。或许我那天情绪稍重了一些，对牛弹琴而无所得，总是烦闷。我说，小吴，你根本不适合写小说，年轻人都想延伸自己，获得认可，但小说不是你的正确之路。吴猛沉寂片刻，把双手从桌上收了回来，师姐，你弄错了。我是单纯喜欢小说，控制不住地想写，在这过程里我像一个逐渐复明的瞎子。即使你没明白，我也能感受到自己的才华。不知为何，吴猛当下表现出的专注令我毛骨悚然。我们没有再说下去，我不忍心告诉他，我们反复摸索寻找的只是让小说更完整的一些碎片，假如非要指出吴猛小说真正缺乏的东西，那恰恰是才华——在我看来，才华应当是一种能持久启发他人的能力。

下一个版本遵照了我的建议，吴猛重新设置了最后一章的视角：母亲常年在郊外工作，有一日"我"放学回来，无意听见父亲与一个叫"小翠"的女人打电话。父亲言辞隐晦，却浑身散发着一种经道德秩序折射过的、怪诞的喜悦。"我"躲在暗处偷听，直到父亲以"希望你今晚做一个和某人在一起的梦"结束对话。电话终了的瞬间，浓烈的现实扑面而来，索求一种超越"我"能力的解决方法。在失序的现实之中，"我"仿佛失去了一切，与此同时，"我"也感受到母亲失去了一切，而"我"和母亲在这段突然被揭露的不稳定关系中互相失去。

那段时间，吴猛迅速消瘦下去，像一块被含在嘴里的冰。他的情绪不迭起着波浪，大幅涨落之际，把他拉扯得神智恍惚。我把《小翠》投给了三四家杂志社，均无佳音。出于某种毫无必要的责任，我私下替他润色一番，转而又投递出去。长久的等待如锯，吴猛时常坐立不安。有一次闲谈时，他忽然脸色一变，问我稿子的进展。我说，小吴，你问过很多遍了，我要说的还是那一句：不要着急。吴猛冷笑说，我知道你根本没把稿子拿出去，你骗不了我。尽管他对现实的恍惚感在近期愈发加重，但我大体上摸索出了与他相处之道。我平静地说，小吴，我可以向你证明，但我不想这么做。他站起来，手掌不自觉地攥紧发抖，腕上青筋微微突起。吴猛说，你拿我当消遣，看我的笑话，枉我跟你讲了许多事。他从前的健硕已然化尽，呆立着宛如一根毫无生气的硬木。我望着他，语气如常。小吴，你知道我不是看你笑话，但你的自尊心太强了。你把我预设为一个恶毒的人，好像你先看明白了这一点，即便我真的来伤害你，也在你的掌控之中，不会伤及你自尊。我有时在想，我们的联系过于密切了，难免有很多歪曲的地方。

小万打断我时，我们已从山岭的清寂之间脱身，直切入京西古道的中段。路上遍布坑洞，据称是古代行军留下的马蹄窝。气象预报中的雨并未如约而至，但坑里却积着灰色的悬浊液。小万把视线转向我，说，你这故事不对劲。我听到现在，完全没听出你开头说的"性命之虞"，反倒像个作者成长的励志鸡汤……手机铃声又响起来，我按下静音键，任屏幕闪烁不止。一边回敬小万道，这不正说到关键部分吗？我后来才意识到，有时我自以为说服了吴猛，引导他坦诚，但他实际上从未真的信任我。他向我隐瞒了一些重要的事。小万问，比如呢？我说，接下去的寒假，吴猛没回家——这就很古怪，他没什么论文要赶，母亲还生着病，而他过年却滞留学校。有一天，一个令人惊恐的念头蓦地浮上来：他的母亲已经死了。

三明与陈舸走在我们身后，途径村落，鸡、狗，动物形形色色，使郊野溢流生机。他们讲了一个去海拉尔的笑话，又讲了一个关于耶稣和抹大拉的玛丽亚的笑话，而死亡的话题将他们从泥泞的窃笑中拉出来。陈舸装模作样地阻止我说，哎，你怎么咒别人。我说，你们不知道，吴猛是一个保护机制极其复杂的人。陈舸说，哦，那得好好保护。我推了他一把，你别捣乱。防卫意识过剩，结果就是放大、扭曲外界的攻击细节。吴猛并不具备对真实的辨别能力，在他看来，真实之间彼此嵌套，一层叠加一层。一个人可以穿梭其中，像选择立场一样选择对自己有利的真实。三明哈哈一笑，这不是精神分裂吗？挺好，适合写小说。

到某个关口，古道收束成一条狭细的上升之路。我们列成纵队，相互间保持一两米的距离，慢慢抬腿往上蹬。杂枝从两侧填伸而来，稍不留意就擦到身体，如同横向洒来使人发痒的密雨。在无尽灌木之中，野花是一种色谱的调味剂。三明擅长识花，但我们相距太远，他的声音传到我耳中已然模糊。我从相熟的寥寥花种中采了一枝溲疏，白花纤细，被孕中的暑气蒸得瓣片卷曲。我捏着它走了一

　　　　　　　　　　　　　　　即兴戏剧

段，不时用食指轻轻蹭拭叶片边缘的锯齿，但美与累赘往往界限暧昧，便在心境转变时将它丢回野路。

再次回到开阔的路上，我们终于放松下来，均衡的力量驭制了我们的呼吸。小万开玩笑说，一会儿到潭柘寺，你多拜菩萨，求个金钟罩，叫那个吴猛怎么都砍不死你。陈舸笑出来，你能不能别说得那么有画面感。小万说，才华横溢，没办法。陈舸问，你有什么想求的？小万一咧嘴，那可太多了，先暴富吧。不是我吹，要是兄弟真发了财，这会儿咱们都躺迪拜帆船酒店了，哪能还在门头沟累死累活。陈舸说，多叫几个女明星。小万说，你的愿望呢？陈舸露出讲"去海拉尔"笑话时的神情，他说，差不多，男人活到老，不就这么点事儿。他突然想起什么似的，转头问我，为什么你觉得吴猛想杀你，他看上你了？我说，看上不是该求我吗，杀我算什么事。陈舸说，不一定，难保有些人癖好古怪。我说，肤浅，跟你们说不清。

为了把注意力从酸胀的腿部移开，我们拆开最后一包薯片。超大份西班牙火腿味，很咸，舌头有轻微的烧伤感。即便如此，我又抓了一大把。想起很多年前，我穿着7cm高跟的拖鞋，和当时的一些朋友登顶汉拿山。路上嵌满火山岩，每一步踩落都被迫扭着脚踝。勉强忍痛下山，到平地几乎无法站立。山脚有一家部队锅，门面简陋，供应一种畅吃的美味萝卜。我们在店里歇坐许久，夜里还跋涉去看了海。而此时此刻，没有热食充饥，与海也相去甚远，更有一些无形的时间蒸汽将我烫得走样。与过去相比，我更迷惑，在双腿的疼痛之外别无所感。晕眩之际，我听从了一个模糊的指引：只要到了潭柘寺，什么都会好的。

大约早春时，我向吴猛指出他嗜睡日益严重的问题。当时我与吴猛的交往抵达一种新的状态，但总体上仍旧紧绷着。他不是过度依赖我，就是充满了攻击性，而他自身也在极致的清醒与混沌间不断跳跃。我们进行如下对话之际，他恰好是清醒的。对于我注意到这一点，吴猛有些吃惊。他最早以为嗜睡症状与季节有关，北京的春天很干燥，杨絮、灰尘当空弥漫，过敏也不足为奇。然而，他逐渐察觉，当他昏昏欲睡时，他会为此生气。他停下来，似乎在搜索更精准的用语来表达。他说，不顾一切地想睡觉，那种感受非常不好，好像我已经彻底枯竭了，倒在一片空白之中。我问，你能描述大概什么样的时刻让你犯困吗？他抿嘴想了一会儿，很多，比如我听不懂你说什么的时候，比如我完全无法按照你的意见改小说的时候……不等他罗列完，我插话问，都和我有关吗？吴猛说，绝大多数吧。因为你总在劈开我的生活，否定我，逼我另找出路。我连忙说，我没否定你，只是提供一些更好的可能性。你这么一说，好像我从你这里夺走了什么，而睡意则为了应付恨、恐惧，以及回避已被遗弃的无能的自己。吴猛缓慢地说，不是的。长久以来我都很迷糊，但今天好像豁然开朗了：我期待被人支配，唯有如此，我才能脱离原本的道路，避开惩罚，避开应由我忍受的局面——我拦腰截断他，接着说，这正是我们需要保持距离的原因。我根本没想过支配你，既无精力，也无意愿。我们以后别见面了，小说有消息我会通知你。

我们在主干道上延伸着脚步，与即兴戏剧结束的那晚一样。只不过时节已然变尽，如今银杏一身新绿，月季顺着深漆过的铁栅栏咬上去。我们沿着花墙走一段路，半晌，吴猛说，我不明白。便于他理解，我不得不从头说起。小吴，我们最早联系是为交流小说，我通过种种方式告诉你，你要先学会观察、辨认、搭建真实，才能在小说领域入门，这几乎是一条近乎真理的规律。在这个过程中，我过度卷入了你的判断，你的自我同我产生一种难以描述的、非线性逻辑的碰撞。你依赖我的存在，但你所汲取的力量，只是短暂的幻觉。唯有我撤离你的生活，你才能明白这一点。我想告诉你的是，你不要以为断联就意味着无处可去、无人依靠，即便我们保持现状，对你改善和世界的关系也无益处。此刻你仿佛正躲宿于一间昏暗的小屋中，和被你摧毁的我的那部分在一起，对自己的内在充满焦虑。

我本想与吴猛谈谈他的母亲，但他忽然变得寡言少语。待我回到寝室，天空因积雨云而暗淡，湿意在空气中涨溢起来。我在写字台前稍立，感到心跳如擂鼓，怦怦不止。好像我刚背过重物，此刻虽已卸下，但尚需一段漫长的恢复期方能还原。

自此以后，有好几回，我似在学校里遥遥望见吴猛，一定睛又由他消失。他仿佛已成为鬼魅的一员，不留空隙地注视我，却从不采取任何行动——在某个令人窒息的时刻真正来临之前，这种注视无异于漫长的审判过程。

我们将潭王路走到穷尽之处，潭柘寺如卵石从流溪中浮出。最后三公里坡路密集，从下到上，自上而下，覆灰的广角镜隐隐勾出我们疲沓的身影。我实在不能再走，略迈几步，便似牵动了小腿内部的蒺藜丛。我们嬉笑着相互埋怨，靠口头宣泄来消减肢体的疼痛，但效果并不明显。小万骂了一句，说回城要好好吃一顿火锅。另外两人说不出话，不时去望那座从万叶间竖起的塔尖——它越来越近，由单个变为一组，然后又集体失形，隐退为诸多庙塔的一部分。

五点过半，我们终于将潭柘寺移至眼前。然而，即使按夏季开放时间（比冬季晚一个小时），潭柘寺也已关门。我们凝视着晚寺，如此切近，却不可进入。便茫然失措，久久无言。

于是，我们只好悻悻绕寺外的塔林走，一条小径将其划为两岸。路边尚有零星的摊贩，一边收摊，一边抱着侥幸心理兜售货品。夕阳从后方平扫而来，当日天气阴沉居多，光线黯淡乏力。塔林以红墙护围，金朝以来，此处陆续收纳了历代高僧的死亡。三十余座墓塔，到黄昏，拓满外物的线影。

小万突然伸出手，腾空圈出一座覆钵式塔。他说，这塔与众不同，据说里面葬着一只老虎。过去老虎下山伤人，后来跟了潭柘寺的师傅，总算改邪归正。有一天它师傅圆寂了，老虎痛哭五天，泣血而亡。三明听了，不甚明白。就问，佛教看淡生死无常，老虎为什么要殉葬？陈舸不屑，哪有跟景区逸闻较真的。三明问，那这么多法师的墓塔也是假的吗？三明往后一指，压压一片，灵塔在晚日衬饰下更显诡怪。陈舸说，有真有假吧。真会变假，假会变真，谁知道。

我摸出手机，想把这象征性的终点拍下来。只见屏幕一亮，十几个未接来电显示在中央，都是同一个号码。再往下是一些短信，让我看到回电，另一些则不知所云。最近的一条短信是：今天不要回校，向西北多山之地去。如果看见一个戴黑帽子的人，问他要那顶帽子。三天以后，早晨九到十一点间回来，可保无事。短信在四点左右发送，此后再无音讯。我点开摄像功能，将群塔置入取景框。潭柘寺的正殿亦在远处，门庭深锁；沿廊高悬着红灯笼，流苏随风势幽幽晃动。天空垫在万物身后，蓝得失神，早些时候的云也不知所踪。我不由得一愣。

他们三人仍在争论，有关历史、真实、虚构，以及顿悟如何让口舌短暂地浸淫于沉默。我们打了一辆黑车，坐到最近的市集，再换车赶往市中心。夜色霰弹似的四散，路灯依次亮起来。汽车一路颠簸，三人竟也纷纷入睡。他们的呼吸轻盈，好像很小心地置换着体内的某些东西。我没睡着，反复想着三明刚讲的《五灯会元》里一则公案，关于文喜和尚与文殊菩萨之间的一段旧事。这段公案出过一句偈语，千古难辨其意，但我想的与此无关。我想的是，文喜反问文殊，你们如何修行？文殊答：龙蛇混杂，凡圣同居——不知为何，我被此中蕴含的气象深深打动。当我想到，它正何其真实地描绘着眼前的人间，便在这嘈杂幽暗的夜晚，险些落下眼泪。

诀窍在于长久的凝视
——小说《即兴戏剧》创作谈
吴猴儿

感谢《春风》杂志编辑部，感谢我的责编周杨老师一年多以来的指导和修改。

《即兴戏剧》是我正式刊发的第一篇小说。在此之前，我虽尝试写过很多作品，但投稿无门，踽踽独行。师姐确实给了我很大帮助。写这篇小说的初衷，也是为了纪念去世的师姐。两年前的春天，她去北京郊区徒步，不慎从山上坠落而亡。同行有她的三位好友，但没人看见她如何失足，实在是一件咄咄怪事。据说那三人当天在公安局做完笔录，已是深夜，饥饿难耐，就一起吃了顿潮汕火锅。

调查取证的过程中，公安机关也找过我，因为师姐生前曾频繁向她的朋友们提到我。她究竟说了什么，谁都不告诉我。她说的是真是假，也无人能证实。当然，警察们全然不能将我和师姐的死关联起来，不久便将我释放，震惊与悲伤却是更长久的刑罚。

在此，我想再次感谢周杨老师提出的许多意见，尽管有些地方我仍然不能处理得很好。例如，周老师指出，这篇小说是女性第一人称叙述的作品，但我对描写女性思维无甚经验，这是我一时也无法改正的。再如，小说中有一些虚实交杂的地方，因为我还没能完全在小说中面对、处理自己的生活经验，多少有逃避之处。

最后，我想再多说几句闲言。周杨老师读罢初稿，曾问我这篇小说的主题是什么。我并不知道何谓"主题"，思索半天，只是说我想写的是真实。我不相信世上有绝对的真实，但选择兼容一些真假并不分明的"真实"并对其作出选择，并非一种放弃的状态，而是为了更进一步去观看它们。陀思妥耶夫斯基在《卡拉马佐夫兄弟》里讲到忏悔，他解答了一个我困惑多年的疑问：忏悔就可以抵消罪恶吗？陀氏的答案是：是的，只要悔过之意在一个人的心中不淡泊下去，上帝一切都能宽恕——忏悔是要持续的，一个与罪恶相关的砝码始终将压在罪人的灵魂上。换个角度来看，如果一个人内心存在着罪恶的想法，那么仅仅注意到这一点，一定程度上已然开始了净化。这就是凝视和真实之间的关系，而我所做的正是凝视。

阅读过程中，如有什么问题，欢迎各位读者随时与我联系。

我的邮箱是：octopus.garden@163.com

III

开罗紫玫瑰

开罗紫玫瑰

陈老师：

去年秋天，我们谈到死亡。祖辈的死亡，父辈的死亡，白鹤与天竺葵消失的方式。死亡是一颗自始寄附在生命之中的肿瘤，它成熟之日，一切便走向终结。

你讲了祖母葬礼上的故事，那个年代文化水平普及不够，人们对文字一知半解。你祖母的尸体停在厅里，按俗世意愿敷满白粉，哀悼者环绕在侧。尽管那时已有人在葬礼上放《让我们荡起双桨》，但大部分仪式仍属传统，哀乐能引导恰当的情绪。你伸手摘下一位堂弟的帽子，抬头时，猛地望见横幅上写错了字：沉痛悼念黄赛月每亲大人。"每亲"，你突然就笑了，同时感到不知所措。

你说，有一天我们也会死。所有人都对这件事达成共识，但口述的死亡预设并没什么威慑力，因为过于遥远的缘故。在我听来，这句话可以翻译成：我们终究会失去一切，并被他人所失去。现在我才明白，这对我而言确实是一种安慰，得知一个确凿的坏结论，也好过在漫长的等待中饱受折磨。

半年过去了，有一件事我必须向你坦白。

我的父亲在去年秋天离世。接连许多天，我表现得魂不守舍，似被白日梦缠魇，但那都是假的。事实上，我几乎从未伤心过。父亲和我交流很少，麻将和酒才是他的热情所在，偶尔早回家，也只躲在阁楼。在这个剧场中，角色"父亲"并不存在，最多只有一个被社会舆论之光照射后落下的"父亲"投影。

希望你可以原谅我。

也真挚感谢，我会永远记住那些黄昏后的散步。

没有署名。

很快，连信件本身都不存在了。随笔本里的这一页被撕下，碎成十余片。毁灭是遗忘的捷径，悲观的人往往更早意识到这条定律。

这是十年前的事情。当时陈缜二十八岁，在公立学校拥有四年的语文教龄。他天性不善言辞，在师范学校念书时，常遭粉笔与黑板的尖锐摩擦声诱发偏头痛，但命运已经把他送到这个位置，现在抱怨太迟了。他有自己消解情绪的秘诀：以词语光谱去透析脑中幻影，落到纸面上，形成诗歌。早年他只写长诗，长度意味着虔诚，狄奥尼索斯或更容易被汪洋所取悦。经历婚姻这道分水岭，他转变了观念，从此只写短诗——短诗对抗长诗，随意对抗密谋，半放弃的姿态对抗永无止境的失败。

那一周，一个叫李曼的女孩未交随笔。陈缜对她很熟悉，去年她父亲病故，两人曾陷入一段过从甚密的往来。若非和妻子闲谈时，妻提醒他，青春期女孩每一天都在变化，早慧的尤其需要警惕，恐怕如今他还未悟到距离的重要性——距离是教育的终极诀窍。教师必须永远保持在前，并设法激起学生"追赶先行者"的欲求，这场无尽的追逐将使双方受益。也就是说，师生之间并无平等可言，友谊会导致乱序，你不能把脆弱、自私、恐惧重重的自我丢给学生。你不能让学生发现，你也只是一个软弱无能的普通人。

谈话仍然是必要的。午休时间，李曼应邀抵达陈缜的办公室。陈缜示意她坐下，又起身打开窗，翠绿的爬山虎新叶擦过他手背，春风湿热，急不可耐地涌进来。

最近怎么样？他问李曼。由于办公室里有人午睡，他不得不压低声音。

没怎么样，你呢？女孩说。她剪了短发，养成用食指卷鬓角的新习惯。

他们并未谈及缺失的随笔本。是硬面抄，以梵高最后一幅画《盛开的杏花》为封面，较之其他人的本子厚一倍，显得野心勃勃。这些都不重要。事情不合理之处在于，李曼对此也不以为然。她太过信赖他们在散步中累积的默契，对于他想法的判断，又太过准确。有一瞬间，陈缜以为自己脱离了教师的身份。

最后一个问题关于选科。一个分岔路口设置在高二下学期，女孩倾向于理科，但物理冷硬，化学耗时。她一度热衷在图书馆翻社科书籍，从科学家彩图中检寻具体的生活细节。伽利略左手无名指有一枚戒指，紫色猫眼石，仅作装饰，还是婚姻的痕迹？任何画像中，牛顿都戴一条白色围巾，她怀疑是一种英式风俗，象征身份与地位，或只为遮蔽脖子上的刀伤……但选科和这些完全不同，现实生活毫无趣味，任意选择似乎都指向煎熬。这不是最糟糕的，糟糕的是她没有察觉的部分——在她这个年纪，所感受的"煎熬"不过是对真正的煎熬的一种模仿。

往后的一年半中，他们再没有过私下交流。那段时间，陈缜筹办了一个叫"填海"的阅读小组，低年级学生聚拢过来。陈缜也和他们讨论爱、信仰、灾难、死亡，但用一种置身事外的语调，不再为扁平的观念付出感情。偶尔涉及诗歌，陈缜便顾左右而言他。一个人无法评述自己所爱之物，这是爱的基本伦理。而李曼则全心投身于高考复习，她最终选了历史一科，或许想凭数学优势与文科班的人竞争。当然，这些只是陈缜的猜测，没人知道李曼究竟怎么想。

每年夏初，一个由校友创办的摄影团队都会进驻操场。课堂随即终止，整个高三年级往各自的毕业照定点散去。白衬衫、黑西裤、一部分精心打理过的头发，这些即将作为高中最后的影像落成纪念。陈缜和同组的两个老师也下楼，首先是集体照，再受邀和相熟的学生合照。陈缜对照相并无热情，在他看来，事物时刻变化，截取其中的瞬间将导致误解，因此照相这项技术本身就很可疑。他并没想过，或许只因他身上的诸多缺点，比如古板、羞怯、笨拙，使他不愿意让人长时间凝视照片中的自己。

陈缜准备回办公室时，李曼叫住了他。李曼戴一条缎面领带，浅绿色，印满美元图形，搭配整体风格显得怪诞滑稽。然而，这副别扭的装束却让陈缜感到亲切，仿佛李曼通过某种方式加固了当下的事实：她就站在这里，以一种不美观却毋庸置疑的方式，倔强地立于众人之中。

当日学校早放，他们在办公室度过剩余的下午。他们感受到时间令事物生锈的能力，哪怕是抽象层面的，比如他们一时回不到过去的对话节奏——此时，他们需要预热，在一个个简单问题的累积下才能前进。陈缜问起李曼的志愿，李曼避而不谈，只说无论如何想离开上海，首选学校在杭州。还有她的生活，母亲身体如何、邻居夜晚是否还练习《梁祝》的二胡曲、不制冷的旧空调今年是否加过氟。李曼说到母亲春天出游黄山，下行翡翠谷，上至飞来峰，拍照的姿势始终端正，仿佛面对一件十分严肃的事。山上阴凉，到处是她一知半解的树种；一些知名的松树从罅隙里长出来，乍看感其生命力，多见也就顿悟到生命的平庸。爬到山顶，她口渴难耐，买了一瓶六元的矿泉水，回家后还在抱怨物价……母亲不明白那些差异，永远以自己的得失去衡量公正，没有变化，没有前进。

也介绍了一些新鲜事物——一个叫豆瓣的网站，去年三月创立的，可以自由在站内标记读过的书籍、看过的电影、写日记。在电台频道，假如不及时为喜欢的歌点红心，便会错失于茫茫曲库。李曼的豆瓣 ID 叫"Carolina Moon"，源自一本她过去读的英文原著标题，小说从旧货店淘来，冷门、幽暗。

She woke up in the body of a dead friend.

She was eight, tall for her age, fragile of bone, delicate of feature.

这是李曼背诵的开头。即便多年以后，他也记得大意。他甚至特意去查过 fragile 这个词语，纤巧的、精细的、易碎的，适用于人生中许多微妙的时刻。

李曼强制为他注册了一个账号，因他久无起名的头绪，ID 在随机输入下成了 adfjtgmk——反光屏幕中央，字符盯着他，调皮、满怀叵测的恶作剧意味。

他们在电影页面检索那一年即将上映的新片。她喜欢贾樟柯，随笔中几番提到《站台》《世界》，里面或有她急于弄明白的东西。于是他们定约，十一月去电影院看《三峡好人》。第二年春天，陈缜突然想起这个过时的信诺，课间抽空看了电影。影片最后，镜头滑过一个独自在屋顶走钢丝的人，背后远山叠影，天色苍黄相接。光线散开，空气中似有箔片轻闪，伴随火柴烧尽的淡淡气味。

二零一五年秋，陈缜再次登录豆瓣账号。彼时，中医科学院一个叫屠呦呦的研究员刚获诺贝尔生理医学奖，满屏滚动着相关信息。研究客体"青蒿素"——一个热门而稍纵即逝的词语。时代变化，如今个体感受被过分强调，人们通过参与热点探讨来寻找自己的位置。

他搜索李曼的 ID，企图打开那条承载她十年变化的暗道。现在他知道，除了书名之外，有一首古老的爵士乐也叫《Carolina Moon》，他习惯了岁月不时馈赠一些无意义但不乏色彩的碎片。

李曼用真人照片当头像，但只是局部，从眉目到鼻子，恰好突显她五官最好看的部分。十年里，她看了近五百部电影，几乎没读什么书。写过一些日记，语言逐渐失去灵气，这是对生活失望以后的必然结果——接受周围的一切，变得疲软，沉湎于徒劳的抱怨而不自知。唯一的相册名为"往事"，四十余张照片，囊括各个时期的形象。两年前，她的女儿首次亮相于照片之中，看模样不过两三岁。小女孩穿粉色卫衣，胸口绣着洛杉矶的英文，鼓嘴姿态与她神似。背景里展示了一套爱德华·霍普的绘画、一台老式饮水机，几张桌子，布局由近向远延伸，拼凑出一场婚宴的局部。陈缜细细打量这张照片，仿佛能听见人声鼎沸，闻到波士顿龙虾与黄油交融的香味。

发现"伟大的伍迪艾伦"这个账号似乎是不可避免的。当陈缜出于好奇点进它的主页，一个新的事实得以被确认：它和李曼互为唯一的关注与粉丝。"伟大的伍迪艾伦"与"Carolina Moon"，无尽数据海洋之中两座孤绝的岛屿。从数百条动态之中，陈缜略微掌握了一些此账号的信息。伟大的伍迪艾伦，男性，已婚，出生于七十年代初（比陈缜更为年长），观影近千部却缺乏品味——因为伍迪·艾伦与伟大无关，非要用伟大去形容一个导演，伍迪·艾伦至少排在备选前三十名之外。

他当然不是李曼的丈夫，另有家庭。这些不难判断出来，两人的互动之中，遍布爱恨、嫉妒、遗憾，以及与他们的私情共生的刺激。躲在这间属于两人的暗舱里，陈缜的好奇心愈发强烈，他们怎样结识？认识多久？现在发展到哪一步？多久见一次？有没有某一个时刻，航行于惊险风浪之中的人，回头反观道德的海岸——那一瞬间，他们成为游离于体系之外的孤苗。罪便由此上身，但遭审判的同时，共同的罪使他们更加牢不可破。

然而，那样的时刻实为鲜有。饮食男女，只顾眼前热情，留下处处露骨的痕迹。

他推荐她看伍迪·艾伦的《魔力月光》，女主角艾玛·斯通长相与她神似，当她质疑时，他表现出一派无辜，"你知道，现在我只要看到任何与你有牵连的，不管是什么，都会想起你……"她也回馈一些深情，"想把头靠在你肚子上，感受呼吸时的起伏。"有时，他们还将一些叙述诡计当作游戏，以第三人称称呼对方。

"爱好很杂，又是功夫片，又是动漫片，但他是最好的演员……"

"被她所爱的男人，一定是世界第一等幸运儿。"

接下来是性。陈缜下意识抗拒这一部分，但交欢细节、身体尺寸、他们对性的唯一性的期待（但显然事与愿违）……这些内容拖住了陈缜，不肯松手。"Carolina Moon"俨然一个荡妇形象，她死死抓住性，仿佛那意味着什么神秘、深刻的东西。

陈缜很难再把"Carolina Moon"与从前的女学生联系起来。他心跳加快起来，想把什么东西吐出来，或压下去，但偏不行，那团雾气就哽在他胸口。中午，阳光穿透窗户，桌面被光斑和阴影占据。陈缜站起来，恍恍惚惚，学生打闹的声音从走廊遥远的一头传来。一些年轻孩子，截然不同的人。

他再度想到李曼——不得不承认，带着痛苦和惊讶。原来李曼还有这样一面，他从未料想到这些事情。十年过去了，李曼已经二十七岁，在婚姻和婚外情之间周旋了许久。难道这不合理吗，一个成年人固有其摄取娱乐的自由，旁人有什么资格说三道四？他大可以谅解她，但他一时做不到，甚至为这突如其来的知情而埋怨她。

李曼考取的大学在南京，虽非首选，好歹如愿离开了上海。年轻时执著于离去之处，晚年或许会凭同样的执念回来，但过早谈这些没意义。南京距上海不远，两小时高铁车程，从地理上来说，也算共饮长江水。只是大学四年之中，李曼回家的次数屈指可数。

大学一年级的冬天，李曼写邮件给他。依然叫他陈老师，言语更亲近，偶有调侃穿插于行文之间，如分形的潮水一次次扑入细沙层。

李曼从三个室友讲起，其中一个患上失眠症。有时半夜醒来，见她盘腿坐在纱帐里，缎面被子披笼全身。她好似一根被划过的火柴，晦暗不可测，可凭想象去推断从她身上踏过的火的亡灵。但白日里，没人谈论这些，每个人都活泼可取。上个周末，李曼和室友去南京大学参观。她们绕过钟楼，往丛林另一侧而行。冬季蜕落这座城市的鳞片，树木光裸，爬山虎只剩干枯而牢固的藤爪。一些落叶乔木底部刷上了白石灰，防冻杀菌，到黄昏，便反射出晦昧的光。在那座著名的复刻版西周小克鼎前，一个室友突然提到一九九六年的一件凶杀案，死去的女孩是南大学生。为毁尸灭迹，凶手将尸体加热至熟，切成两千片以上。

但这件事情里，最让我恐惧的一个细节是：那女孩本名"爱青",写自己名字时却喜欢写成"爱卿。"你能想象吗？这个举动里面有一种真实的戏剧性。每想到此，我就忍不住要哭出来。

真实的戏剧性。他猜想，她说的"真实"并非信任层面的东西，而属于感受层面，接近于诗性。出乎他的意料，李曼接着就把话题转往诗歌。

我读过你写的诗，在一本叫《亚比煞》的诗刊里，两三年前的某一期。一开始，我不确定那是不是你，直到我读到你的创作谈——那一期你被作为新人推荐，在创作谈里，你提到里尔克的诗句"可是当我们两人彼此紧缠 / 以免看那些不祥之物如何逼近时 / 你可能挣脱，我也可能挣脱 / 因为我们的灵魂靠背叛生存"，我才确信无疑。

这是你的气息，是沙漠里一座灰色巨塔，山一般高大。等待理解，又拒绝理解。

来南京以后，我也尝试写了一些诗，随信附上，请告诉我真实的阅读感受。

一连两周，陈缜都没有回信。

这些事情令他愠恼，他需要时间来化解自卫式的冷漠。他从没想过发表诗歌，之所以递送杂志，只为解一位编辑朋友的缺稿之难。发表时，他特意用了一个谐音的化名，以障眼法保存自己的秘密。陈缜不明白，李曼究竟是怎么发现这些诗的；为了掌控与他相关的信息，李曼又在背后做了多少调查——这本质上是一种侵犯，对一个人刨根问底，像把一株兰花从土盆里挖出来，眼看它在空气中窒息死亡。

他频繁做一些怪异的梦，例如梦见独自找到了曹操墓，在七十二遗冢之外的一处。黑夜长得像一声尖哨，他把白骨一根根取出来，想着廉价销售出去。也梦到过一个只有他一半高的女孩，他们共坐于沉郁的房中。木质家具雕琢得过于富丽，似乎隐含着一种隆重的仪式感，使人的联想无法从死亡上挪开。女孩对他说一些话，但醒来都忘了，只感到淡淡失落，难以平复。他怀疑自己也梦见了沙漠中的巨塔——或许只是想象的画面，他无法清晰区分。总之，某个时刻，他切身置于那幅场景之中。四面荒沙，月落与日出并行，两条光带夹一段稠密的藏青色，星星散成一张破碎的网。塔站在那里，巨大的沉默本身就是一种发声。

在最终的回信里，他建议李曼不要再写诗。诗歌是一种高难度的技艺，只有两类人有资格练习：极具天赋的，和意志力强大的。假如连后者都做不到，那么诗歌只是一根迟早会断裂的稻草，一旦它被现实凿穿，虚无之海便是人最后的归宿。陈缜在邮件里指出，很显然，李曼与这两类人都无关。她陷入了诗歌的误区，迷恋想象力和夸张叙述，这就导致语句呈现出一种简陋的抒情，塑料质地。下一步，她可能还会感染所有半吊子诗人无法幸免的副作用：为废品沾沾自喜。没什么可指点的，正确的方式就是——停止，再也不要写！把热情用在生活上，这才是最好的结果。他列举了其中两首诗，以说明问题：

《笔录》

我们必有些罪

或包庇过他人的阴谋

好日子底部是无尽长梦

一颗野柠檬沉入海底

你驾猛兽游上水面

《日食》

恒星闭门恣纵私情

地心引力对幽暗施魅

我们在白日街道相互抚摸

后来陈缜在反思中发现，他的评判太苛刻了。尽管李曼的诗歌并无特殊才华，但至少可凭清新胜过一些人，不必非要停止。他只是有太多私心，将李曼写诗视作她潜意识里向自己靠近的行为，而他不喜欢这样。难道《日食》还不明显吗，近十年里唯一一次日食，发生在他们同行的路上。黑暗骤落又消散，像一次叹息。但现实生活中，他们什么都没做。自邮件发送后，陈缜又读过几遍李曼的诗，甚至挺喜欢一首叫《日记》的。

《日记》

死也是一种病

父亲是一张保质期十七年的壳

剪玫瑰的时刻多好

碱水 夏梦 一根刺

扎入正在松动的危楼

他料想李曼受了打击，因为再没有新回应抵达他的邮箱。

近半年后，陈缜突然收到一个盐水鸭，是李曼从南京寄来的。外包一层环保纸袋，里面真空塑封，"状元楼"三个花体字斜烫在右上角。他发消息感谢她，心想所有事情都会过去，趋于平缓，而无尽的辩证才是残酷之处。

一次秋日迟暮时，李曼回了上海。他们约在学校附近的餐馆"春红小菜"，过去是一家清真餐厅，后来膻香和戴白帽的服务员都从这几十米空间里消失，没有留下任何解释。那一阵气候多变，凉意似向耳膜吹入长冬的前兆，人们以为接踵而来的是雪，却被一阵突发的闷热呛得翘趄。

李曼来时，雨正下得茂密。她收拢长柄伞，废了不少力，细水从藏青色伞面溅到她身上。老板坐在柜台边，顺手帮她拉门，她抬头而笑，手臂悬挎的盒子使她稍显笨重。如今她堪称美貌——一个拥有这般眼睛形状的女孩，姿色很难被其他五官毁掉，可惜她自己对此觉察得太晚了，往日种种困境为她制造了士气低落的命运底色，持久生效。当然，时间也供应一种缓慢的疗愈机制，她将凭毅力接近自己理想的形象，开朗、善谈……但那只是一层脆弱的表面。

老板过来点菜，李曼开玩笑问他，春红是不是老板娘？老板笑笑，露出被焦油熏黄的牙齿。哪有什么老板娘，只是一个名字。李曼说，听起来是个美女。老板说，谁知道呢，十三亿人，叫春红的千千万，有一两个好看的也不足为怪。李曼说，我要是哪天拍电影，女主就叫春红。上菜时，老板多送了他们两瓶啤酒。

陈缜笑眯眯地打量他们，老板很快坐回柜台，门外依旧大雨滂沱。他们落入试探性的沉默之中，李曼把目光留在桌子中央。天凉飞蝇少，盘中静菜分外冷清。过了一会儿，李曼终于忍不住开口，你怎么不说话啊。陈缜笑说，我一直这样，你现在倒能说会道。李曼说，也没有，一个人在外地，不主动点会隐形。陈缜点头，不错，金陵侠女。李曼说，我不喜欢南京这地方，到处死过很多人。夜里走在路上，半空中红灯笼轻飘飘，流苏划过后颈，毛骨悚然。陈缜被她瞪眼的表情逗笑，随口说，五千年了，哪一寸地没死人，慢慢也就都忘了。李曼挑起筷子夹酒香草头，突然问，你老婆还在原来单位吗？陈缜说是。李曼说，你记得吗，我们见过一次，当时她很冷淡，我有点怕她。陈缜说，她是这样的，话少，只在必要时刻说话的人相对可靠一些。李曼问，你有孩子了吗？陈缜说，有啊。李曼一惊，陈缜又笑，有很多，都在学校里。

李曼从座椅上提起盒子，硬板纸受力而开。两对大闸蟹被土棉花绳紧扎，泡沫绵密，粘在壳口。那些泡沫是呼吸对鳃中剩水加工的成果，是大闸蟹最后吹出的一段过去时态。前两天，李曼随朋友游阳澄湖。朋友告诉她，九雌十雄，按农历来算，现在是雄蟹当季，雌蟹已开始衰枯，再往后就要发苦了。物种的性征成熟常有时差，人类也不例外。陈缜认真听这份口述的礼物说明书。这两年，他性情里严谨的部分横生出来。他不再信任意图不明的礼物，并开始学会对冗余的善意感到不适，但李曼似属例外。一年多了无联系，现在他可以更公正地看待往日的联结。

雨收了帘帷，路边积水潭的倒影里，太阳从云层后微微露面。客人都散了，老板到门外抽一支烟。只剩他们两人坐在店里，轻松，泛泛而谈。李曼明年就要毕业，陈缜顺势问她毕业后的计划。李曼对答，毫无犹豫，像铺开一幅描摹许久乃至细节精致的长绢。她已在校园招聘中定下职业起点，是一家上海的国企，所以一毕业就回来。她料想工作不至于繁忙，打算到时学一门外语——法语或俄语，她对各种语言隐藏的不同陈述逻辑感兴趣。比如法语中的数字 80 是用 4×20 来表达的，一个法国人在超市里，会自然地将一包饼干与四根拐棍糖划等式，这是一种隐秘的逻辑。当然，她肯定不会再住家里，新生活可从与旧友合住开始。婚姻从来都在她的考虑之外，她的偏见炽盛如故，认为爱只是烟雾弹，或是因软弱而找来自欺的借口。女性踏入婚姻这个双标的评价系统，不过是因为她们天性缺乏远见。人不可能改善自己的天赋短板，但适当的规避风险相当必要。

有一年同学聚会，陈缜也受邀前往。地点安排在静安区新锦江宾馆的宴会厅，陈缜穿一件 T 恤走向大堂，保安替他拉门时，他注意到白手套上有一道灰色污渍。他朝保安望一眼，保安紧张地笑起来，一张疑似来自西南地区的黝黑面孔。等电梯时，他忍不住思索那个年轻保安的生活，当他费力拉动精心雕琢的黄铜把手时，尽管玻璃门如此沉重、难以控制，他是否感激来客将他从无聊的等待中拯救出来？春节回家，他又会怎样向亲戚复述这座城市——一个人出门远行，带回一则恢弘的童话。城市制造太多幻觉，使人相信自己可以参与其中，而这种误解将反之成为城市精神的养料。

陈缜察觉到，这一瞬间富有诗意，不同于以往个人的、大脑皮层的情绪泛滥。然而，他早已不再写诗，那通灵的眼睛、多余的触手，都被现实生活灼伤了。他甚至把收藏的诗集卖了，只留下几册里尔克，信手闲翻时为一种难以言喻的苦楚而哽咽。

赴宴学生到了大部分，见陈缜进来，三三两两鼓起掌来。陈缜坐下，力图从变形的外表后辨认出昔日的学生。

"陈老师好年轻。"学生夸他。为何年轻会成为一种赞美，它说明死亡的荼毒遥不可及？

"以前觉得比我们大很多，现在看起来差不多是同龄人。"有人应到。

"听说教艺术课的陈老师自杀了，是真的吗？"另一个学生问。

"没有没有，她是癌症死的。"陈缜连忙解释。

某一时刻，几乎所有学生都想和他说话，把多年攒下的问题倾囊而出丢在他面前。他挑一些必要的回答，一种内在的紧张使他回应得极其迅速。等一个又一个新到者进门，关注才从他身上转移。他终于有空间四下望一圈，孔雀蓝的墙，其中一面镶一块巨大的长镜，空间与人的数量由此得到加倍。他们似乎刻意让他坐在女孩最鲜艳的一桌，但美的逼近也会产生压力，尤其是这些精心修饰的美，它的形成暗受一种苛刻标准的驱使，而这标准随时可能反向挑剔对受众的预期。

陈缜认出身边的女孩是宋薇，当年模样瘦小，上课时常走神，一笔笔为课文配的作者肖像易容。他从其他老师处听过一些小道消息，宋薇母亲欠下几十万赌债，一帮蛮横的男人曾用红油漆在她家门前写"不得好死"，那已经是很多年前的事情了。交谈之际，他得知宋薇现在加盟了一家连锁超市，丈夫是打牌认识的。

人声从未间断过，各色话题如走马灯转过女孩们的嘴边。陈缜无法加入，只闷头吃菜，像他在大部分聚会所做的那样。他偏爱沉默，什么都说并不代表坦率，反而意味着摧毁已经说过的话。她们使他想起鸟鸣，有时整夜失眠，到凌晨四点左右，鸟便从梧桐、白蜡林中苏醒过来。

他与宋薇偶尔低语，半晌，终于谈及那些未出席的人，又转到李曼身上。

"她太远啦。陈老师不知道吗，她大学在南京读的，毕业前搅上了一个南京本地人，是个富二代，大概认识两个月就结婚了。"宋薇说，狡黠、意味深长，是讨论无关紧要的人的生活时惯用的语气。

"这么仓促。"陈缜缓缓应道，又问，"这男人是做什么的？"

"专科毕业，进航空公司当了空少。男方家里有好几套房产，李曼毕业以后一直没去工作。不过，听说男方有个强势的妈妈，李曼应该也捞不到太多好处。"宋薇说。

陈缜点头不语，宋薇似乎不满于这冷淡的反应。犹豫一番，她又压低声音，进行新一轮的信息轰炸。

"其实我们都觉得，那男的配不上李曼。李曼结婚前，打过一个电话给燕燕……就是她当年同桌，关系一直不错。电话里她哭个不停，说那男人是花花公子，抓都抓到过两次。燕燕安慰她，反正还年轻，下次观察久一点再确定关系。但是没过几天，就听说他们领证了。后来办婚礼，一个老同学都没叫。"

宋薇叹气，一个资深传播者，会在陈述之际代入自己的情绪。李曼的境况在同学间几经易手，此时才传到陈缜这里。像捡到一张破碎的纸屑，这凄凉意使他久难平静。到最后事情总会传开，人们并无恶意，但他们就是会说出来。

倘若有机会，窥伺势必会发展成一种长期行为，因为窥伺者容易对其所关注之物产生一种神秘的责任感。简而言之，窥伺容易上瘾。近两年来，陈缜每天午休时，第一件事便是登录豆瓣账号，检查"伟大的伍迪艾伦"与"Carolina Moon"之间的互动。

他好似错踏进他人的河流，但水蕨、芦荻、苔草茂密诱人，河底游动着多棱闪光的鱼，这种丰沛本身便能掩护他，又使他舍不得离去。他静卧一侧，小心屏住呼吸，测探每一寸新的变化。

最初的惊恐已被惯性所填平，几乎是生平第一次，陈缜体会到分析碎片的乐趣。比如，他看"伟大的伍迪艾伦"和"Carolina Moon"同一天标注已看一部院线电影，便猜想是他们两人一起去看的。"Carolina Moon"标记观看伍迪·艾伦的《摩天轮》，评论道：那些森林中的大火，最后都是怎样熄灭的？"伟大的伍迪艾伦"在该条广播中留言：

记得那天在 Tron 上，她的手如火滚烫，永不熄灭。通过搜索，陈缜了解到 Tron 是迪士尼乐园里的一个项目"极速光轮"。于是他知道，他们共同去过迪士尼，一定也牵手看过虚拟城堡上的虚拟烟花——唯独那些虚幻之物，能向人供应最纯粹的快乐。

只有一次，陈缜在他们的谈话间找到自己的痕迹。"伟大的伍迪艾伦"把他叫作"那个和你约好一起看《三峡好人》的男人"，"Carolina Moon"像是故意地说，你们两个有的地方很像。对方极力反驳，例证贾樟柯不如伍迪·艾伦，虽然《三峡好人》和《星辰往事》里都出现过外星讯号，但能和外星人诙谐交流的只有伍迪·艾伦而已。重要的在于放松，然后才有可能真正纵身其中，获得地位平等的待遇。诙谐往往能容纳生活最真实的部分，是一种体面的折射。从这种辨析之中，"Carolina Moon"仿佛同时感受到两重爱，足以短暂填充她深藏的缺口。当她满意时，理性在安全感的围簇下复苏，她开始笼络眼下拥有之物。她宽慰"伟大的伍迪艾伦"，说那些只是旧时空的一场阵雨。

在近期一篇日志中，李曼记录下一次独自出行。

今天路过城隍庙，才知道它原来是道教正一派的主要道场之一。里面供奉了很多人，正殿的城隍老爷是秦裕伯，元末明初的老上海人。秦裕伯去世以后，仰慕他才华的朱元璋追封他为"显佑伯"，又造了庙，让他受百世香火供奉。

　　还有大将军霍光、慈航道人、城隍娘娘。

　　你说过小时候住在方浜路，经常陪奶奶去烧香，我想他们是看着你长大的。城隍老爷红脸怒目，你那时皮得不像话，奶奶常吓你，再不听话，城隍老爷就要把你抓走。现在过了那么多年，或许你已经学会了真正的恐惧，发现原来害怕的东西并不值得怕。城隍老爷也从来没抓过你，相反他照拂了你，所以我认真地对他们说了谢谢！

　　日志发布不久，"伟大的伍迪艾伦"就前来回复。陈缜不断刷新页面，及时读取新消息。他们会注意到日志阅读量正以倍数激增吗？黑暗中的窥伺者，甚至拥有高于两位主角的权力——他可以随时破坏这个二人空间。

　　"我小时候很乖，总是去福佑路的小人书摊看连环画。"

　　"城隍老爷在上，不可以说谎哦，除了看连环画还干什么？"

　　"还有，就是痴痴地看着南方增长天王的那把宝剑……"

"在想用它抢哪个压寨夫人？"

"没有，那时我只会沉浸在自己的世界里。宝书玉剑挂高阁，金鞍骏马散故人。我想去很远的地方，行侠仗义过一生，那时候觉得哪天真的会实现。"

……

陈缜猛地意识到，原来李曼这段日子一直在上海。

他稍作整理，一些原本无处拼放的信息，如今在灵光乍现之下突然找到了位置。还原李曼的生活丝毫不难，而陈缜也是这样做的。

在他看来，婚姻是一种联结个体成为家庭的物理形式（假设是一台机器），那间房子里具体或抽象的一切——腐烂一半被切除的番茄，滤不净的水，松动的晾衣竿，成摞的落灰报纸，还有爱、依赖、规划，都是婚姻中一粒粒细小的齿轮。到某一个阶段，锈迹开始遍布这台机器，便需要额外的润滑剂。假如维护得及时，它能被抢救过来，运转如新。也有一些不同情况，比如机器一开始就是不流畅的，只是人们凭技巧忽视了它。他们或以为能永远佯装一切安顺，但实际上他们不能。

陈缜无从判断，李曼和丈夫属于哪一种情况，他们婚姻的故障来得太快了。到这一年年初，李曼干脆回到上海，开始和丈夫异地分居。孩子留在南京，牢牢笼在奶奶的掌控之下。有些周末，李曼支出四小时往返南京故地，探望孩子、为婚姻进行斡旋与谈判。回沪以后，"伟大的伍迪艾伦"成为李曼更深入的一条情感支线（也许她还有别的支线），他们不时约会，见面主题多以性为主。他们之间的情感界限很模糊，有时李曼也会炫耀其他男人献上的殷勤，故意向对方挑衅；或者反过来，为对方家庭出游而醋意大发。尽管如此，他们各有分寸，李曼从无拆解对方家庭的意图。她只在日志中感叹"真正所爱之人总是无法厮守……"，语调深情，仿佛她更乐意从遗憾而非占有中获得满足。

后来就到了二零一八年，他偏爱偶数的年份，明快、自恰，像是对上一年灰暗部分的补偿。数字不会说谎，或对所有人散布同一个谎言，无可指摘。

这一带原属于市中心，几条地铁线路交轨之处，地利因素、繁华商圈、某种对纯正上海味道的猎奇吸引了大量人流。夏初，行道树拉起浓重的绿帘，早蝉与枝叶共鸣。风里有清新的香味，每一道呼吸都抵达肺更深处。

人群密集，来来往往，陈缜和李曼只是其中的两个。两人身高相差不多，陈缜相对黑壮一些。和李曼并行时，他才注意到自己的形象近乎木讷，宛如一只封闭的陶罐。

他们是怎样走到这条路上的，具体细节有些模糊，只记得下课后，一眼在办公室看到李曼。其他老师都已认不出她，她便沉默地坐在陈缜的工位上。见到他时，李曼抿起嘴，露出一种含混的、略带距离感的笑，较之往日多几分妩媚。关于来访，她只说因工作缘故要在上海住一个月，路过学校顺便进来了。陈缜有些不知所措，两人走出学校，他才缓缓适应过来。

"你都不关心我现在做什么吗？"李曼半开玩笑地问。

陈缜回过神来，他理应扮演一个疏离故人的角色：对她的生活一无所知，并怀有善意的探知欲望，以示关爱。于是，他顺势询问了她的家庭、工作，提问方式当然是节制的，他不想给李曼的造谎增加太多难度。

李曼又试着将触角探入他的近况，但他的生活秩序井然，以至于当他人企图探测它时，他为拿不出任何亮点而羞愧。除了那些幽暗的窥伺，他暗想，像一条通往冰山底部的密道。

"不少老师走了。以前教你们地理的宋老师去做审计了，现在工资很高，只是辛苦，旺季每天两三点才下班。前年还招过一个师范的研究生，上个月辞职，和平台签了约，每天在家做直播，表演背唐诗。办公室里说起她，都觉得很有意思。"学校似乎是一个恰当的切入点，是他大部分生活发生的地方。或许因为抱有歉意，他说服自己多开口，哪怕讲的是没有意义的事情。

"现在学生也比我们那时聪明多了吧？"李曼问。

"不太一样。"在清点过往的每一届学生时，陈缜忽然发现，他们已经认识十五年——一截在万年历上微不足道的蜡炬，碾烫到两段人生之中，却意外变得庞杂难解。陈缜一愣，又继续说："你记得学校有个读书小组吗，'填海'。最早读《白鲸》时，学生喜欢听老师讲解，发言小心翼翼，一被追问就怀疑自己，他们总想从更多书籍、阐释中找到准确的观点。后来的学生好像更叛逆一点，他们对古典那一套兴趣不大，更在意……比如星巴克的店名来自爱喝咖啡的大副斯达巴克，这种变化，可能体现了某种选择上的自信吧。这两年的学生却有点难理解，我弄不明白他们的心理。基本上来参加读书小组的人都很优秀，乐于表达，很难想象高中学生能通晓那么多知识。但那种'优秀'未免太工整，他们好像没有在信息处理过程中融入……怎么说呢，真正的个性，倒也未必是聪明。"

他想说的是，一种庄严、神秘的东西正在消逝。

"这么说来，老师的工作越来越容易了。"李曼说。

"没有，我觉得相反。在未来，老师没什么存在价值。

学生不想要'老师'这个筛选机制，他们渴望大量一手信息，那也许是人文整体衰退后的时代。"

"你还是喜欢想复杂的东西。"李曼说。

他们在大世界附近吃了晚饭，一家川菜馆。晚餐尽头，夕烧侵占卷积云，白日在长夏的支配下展露出惊人的韧劲。李曼用木筷挑出干煸辣椒，丢进空碗。他们的谈话不似从前，玩笑成分已减到最低，反倒替两人维持了平和的氛围。和几年前相比，李曼清瘦一些，性格也收敛许多。她逐渐摒弃了那种会随年龄增长而日显廉价的轻慢，至少对陈缜更郑重了。也可能人生中的某一阶段，她曾将他视为朋友，但现在已经不是了。礼貌、得体、一段看似周正的社会关系，这就是他正面对的东西。他一度需求边界秩序，为她试探性的靠近而恼怒，可如今当善解人意的时间解决这个问题后，他看到一片白雾——是不可逃避的平庸，是人与人之间永恒的疏离。即使上帝允许人类通晓所有的语言，巴别塔也不可能造起来，孤独的离间无可破解。

李曼说她有一阵子学过俄语，但现在差不多忘了，只记得零星单词，拼凑不出完整的句子。句子需要语法逻辑，意味着一种对秩序的掌控，而词语只是一些发光的瞬间。

"比如 Окно 是窗户，почта，邮局，都是单数形式……我还跟《通用俄语》视频课学过情境对话，有一节课讲遇

111

到歹徒该怎么协商，但我后来只记住一个单词'нож'，那种流线型刀柄、容纳各种精雕艺术的俄罗斯刀。"

李曼发音时，他们在马路上笑起来。这条步行街落成于千禧年前夕，人流络绎不绝，一度作为某种时代精神的象征而存在。现在行人依旧鳞集，但他们不再挺立，视步行街与寻常道路一致。一丛丛广场舞团队占据空地，嘹亮的音乐似对旧世界的嘲弄——当年的时代精神深嵌在这些建筑之中，拒绝与时俱进。人们所见的是一派欣欣向荣的九十年代风貌，而那种自媚更使步行街显得陈腐萧条。

"世界变得太快了。想做些什么，最后还是什么都没做成。"李曼说。她的口吻下沉得过于执著，好像她已站在"最后"这个点上，正对将临的末日审判作一种预言。

"没关系，其实大家都这样。"陈缜说。

"不是的，一些人就是比另一些人幸运。有的人能抓住时间，做一番事业，赚很多钱，得到他们想要的。但是我不行，我的时间观念太滞后了，总是沉浸在自己的世界里。"她还想补充什么，但也没说出来。

夏日的夜晚一派轻盈，细碎的灰尘悬浮于光晕之中，像鱼群在橙色海水中潜游。这一年恰逢俄罗斯世界杯，酒吧的露天座位时常满座，灯火长夜通明，金黄色的啤酒从桶里飞溅出来。一些女孩饰有足球元素，或身贴支持国家的国旗，或在脸上画一些球赛相关的符号，似要借助印第安人的魔力。

"你看现在多热闹，哪怕只是两年以后，还有人记得今年发生过什么吗？"李曼侧首望了他一眼。

"也不能这么说嘛，值得记的事总会记住的。"陈缜笑起来。

"你和我一个朋友很像。"李曼稍微想了想，又说，"其实也不怎么像，但他总是让我想到你。"

"到底是年轻人，我已经很久没交过朋友了。"陈缜故意调侃道。

他知道她指的是"伟大的伍迪艾伦"。某些时刻，当他逐字读过李曼给对方的留言，尽管可能只是陈述一些客观信息，他知道他的影子藏在里面。一些地基是他们共同搭建完成的，他教导过她，但李曼并不知道，她也对他产生了影响——他首次意识到和学生成为朋友的危险性，他能说自己对于那些暧昧不明的关联毫无过错吗？从前他藐视一切等级制度，视自我降维到学生可亲近的层面为一种追求人性平等的进取之举。他曾经对教育抱有那么大的雄心，真正的教育，不是考场上的得分。而李曼以某种方式提出警示，他只是一个普通的教师，普通人能做的最好的事情不过是安分守己。

"你一直封闭自己，我从来不知道你是什么样的人。"李曼大方地责怪他，好似早已不再介意，"在南京读书的时候，我经常想给你写邮件，讲一讲我当时的生活。但是我很怕你，你的回信那么生疏，好像我再继续倾诉是一种很严重的打扰。我不是想当什么诗人，只是太孤独了，不知道该做什么。"

陈缜想起那一年，他和妻子在餐桌边吃盐水鸭，配一碗番茄炒蛋、一锅排骨菜汤。失联许久的李曼突然寄来盐水鸭，妻难免有些震惊。妻在一家国企做人事，精明、强势，好多年来，是妻凭着强大的意志力操纵他，以共同跨越家庭生活的种种困境。妻一边掰开鸭子，一边谈论李曼。她说这个女孩很迷糊，容易受骗，因为对自己想要什么毫无预设。他点头称是，但后来他发现妻的评判并不准确。或许缺乏"信任感"才是李曼的顽疾，她从来不能毫无保留地相信什么东西，所以做选择时总是很随意，多变，最后接受残次品也懒得抱怨。那天晚餐后，妻突然一反常态，告诉他，如果他真想的话，生个孩子也可以。他当然不理解妻在想什么，就像他也并不真的理解李曼，他永远不知道女人的心思有多幽微。

"很多事情，我都不知道可以和谁说。我现在离婚了，一个人住在上海，连我妈都没告诉。不是担心丢脸，只是怕麻烦。我可以想象，一旦跟她说了，她会怎样想方设法地再来参与我的生活，带着愤怒、鄙夷、怜悯，还有她自以为是的一套逻辑。我前夫是那种非常差劲的男人，嘴里没有一句真话。每次说谎被拆穿，就动手打人。有时候我想，他会在某个气急败坏的时候杀了我和孩子……对了，你知道我有个女儿吧，现在在南京，他们不让我见。我这两年状态真的很差，为什么事情都这么难，为什么人不能掌控自己的生活，哪怕只是有那样一种错觉也好……"

她哭起来，从包里摸出的纸巾很快湿成一团，接着轮到另一张，也未能幸免。

当他们走到外滩时，李曼已从哭泣中抽离，她感觉好多了。在黄浦江边，她拥抱了他，把整个身体纳入他怀中。眼泪流尽了，现在她获得了前所未有的松弛、释怀。这一瞬间，她突然感到生活的本质何其平稳……你能相信吗，那种巨大的无动于衷实际上是可靠的。

陈缜一愣，但还是伸手回应了她，假如这就是她所需要的。

然而，她的热情不止于此。她放肆地紧贴他，他感觉她正在融化，变成他胸前一簇流窜的火焰。他多少也被点燃，恐惧、刺激，一些黑暗却极富魅力的情绪焕发起来。等她开始吻他时，他们完全与周围的世界分离了，混沌时空仅服务于他们内心的意愿。过去许多年中的进退，在此彻底告以失败。而这最终以彗星般明璨而邪恶的方式降临的失败，大声宣布他们此前挣扎的徒劳。

当然，这是一个错误。无论探照灯从哪一时间维度投过来，答案都不会有什么偏差。

但在错误扩张到不可挽回前，陈缤停了下来。

他并非没有犹豫过，他们本可以找一间宾馆，度过一个迟来的良夜。也许他会咽下紧张，给妻打一通电话，编造不回家的理由。然后，他从口袋里摸出身份证，腼腆地，或猥琐地，上面的照片还是十多年前拍摄的——那时他眼睛细长，下颌骨棱角更倔气；脸部与四周的防伪花纹衔接处有些虚化，仿佛那是一张随时溶于水的假面。这一切就像电视剧里会发生的，一个滑稽的、悲剧的小人物。

既然事情已经到这个地步，倒退是不可能的了。李曼做好了准备，从他的行动中，她推断同样的准备也在他身上就绪。这突如其来的停止，便成了一种背叛，使他们之前达成的所有共识都虚幻无力。

他们的关系变得模糊失焦，找不到定位，也就含混地终结了。

有一件事是李曼永远不能明白的。他选择停止，并非出于她所设想的懦弱、瞻前顾后，或道德层面衍生的任何约束。那天，在他们饱受爱欲围剿的时刻，他恍惚地望见她身后的黄浦江。对岸灯火流溢，一场通电的焰火巡展，一片虚张声势的后现代森林。水面吸满光影，看上去微微发烫。他试图专注于眼前的女人，但却不可控地想起了"伟大的伍迪艾伦"。在"伟大的伍迪艾伦"和"Carolina Moon"的一场对话中，他说起自己小时候在黄浦江游泳，那时江边还没增设栏杆，每到夏天，他和朋友们就成了水中常客。有一次游完泳，爬到别人家院子里偷枣吃，还被人用晾衣竿驱赶。后来整个城市变样了，有些旧友搬了家，但他家没有，拆迁的好运并未光顾这个平凡的家庭……越来越多信息跑出来，陈缜脑子里所想的，全部是一个毫不相干的男人的生活，这毁了当下的时刻。

在他们的关系彻底终止之后，陈缜抛弃了偷窥豆瓣的习惯——突然，兴致消失了，他几乎没废什么力气就戒掉了瘾。

只是一次偶然的机会，他在检索到伍迪·艾伦的《开罗紫玫瑰》时，搜索引擎将他导向豆瓣。他看到第一条热门评论，正是"Carolina Moon"四年前发表的。没有什么特殊见解，只是复述电影里的一个故事，但稍稍作了改动。

Carolina Moon 看过 ★★★★★ 2014-12-14

这是一个古老的埃及传说，一个法老送给王后一朵紫色的玫瑰，玫瑰花期不长，不久就凋谢了。不出一个月，无论赠予花的法老，还是得到花的王后，都忘记了这件事，新的生活接踵而来……但没有人想到的是，很多年以后，王后去世了，人们发现紫色的玫瑰在她的墓地里疯长。

不过是一个顺手之举，陈缜点进了"Carolina Moon"的主页。

令他惊讶的事很快出现了，他看到李曼有一篇后来更新的日志，讲述和一个男人夜游至外滩。在幽暗的角落，那个男人猥亵了她。他好像发了疯，为了把她拖去一个废弃的楼道，不惜用上了暴力，她拼命反抗才从险境脱逃。

他反复辨认，她是否仅将此作为一篇虚构的小说，毕竟她从前也对文学产生过短暂的兴趣。但答案显然是否定的。

在这篇日志的后半部分，她严肃地控诉了那个男人，说认识那么多年，从来不知道他是这样的衣冠禽兽。现在回想，一切更明晰了：十多年前在学校，他就开始设置陷阱，故意制造的独处、试探性的肢体接触、不怀好意的礼物……她说他不配当老师，只恨自己无从留下证据，否则必然去举报他。那语调几乎是声泪俱下的。

"伟大的伍迪艾伦"在评论中安慰她，很多个来回，每一段评论都很长。陈缜没有细读，只瞥到"Carolina Moon"说的，现在我只相信你了。实际上，读到日志后半，陈缜的勇气就殆尽了，他的目光在一些词语上跳跃，但并不能抓住它们的意思。语言变得那么陌生，世界似乎也是新的——一个坏的新世界。激愤控制了他的整具身体，他以为眼泪即将落下，用手去擦拭，却发现内陷的眼眶干涸一片。

他告诉自己，她所说的一切，从未发生过。一遍一遍地确认，直到原本牢固的真相开始松动，他自己也分不清哪一部分是真的。某一刹那，他突然想，也许李曼很久以前就开始记恨他了，混杂着恨与需求。

那些许多年前的黄昏，如云浮起。他们谈论死亡，仿佛通过不断对话能消解它的阴翳——了解它，正视它，然后不再恐惧。他们从公园经过，深秋烧枯了枝叶，池塘里的水平静无言。她跳起来，想从树上摘下什么，深蓝色校服像一件顽劣的斗篷。他教她辨认树叶，银杏叶、梓树叶、泡桐树叶、黄杨叶、香樟叶、红花檵木叶……她指着一些长得像小荷叶的土生植物问他，他说只是野草。她皱起眉，不是质疑他的结论。她只是在想，怎么才能永远记住那些名字呢？但一个人在考量永恒之时，便是她失望的开始，只是当时她还不明白。

IV

巴黎来客

巴黎

巴黎来客

溽暑造极之时，我们开始一段悠久的告别。沿塞纳河，由北向南，灯色藏光影玄机，长夜垫衬在狂欢之下。巴黎的出租车很贵，因此，我们常趁午夜莅临之前，坐地铁赶往市区。第六区的龙街、第七区的圣西门街，往往是我们为彻夜痛饮所找的容器。周复一周，我们凭味蕾环游于法国各地酒庄，迷失于 Armagnacs 或 Bourguignons；厌倦时需调剂，则请酒保调出风情各异的鸡尾酒。快速啜饮，将杯子丢回餐盘之间，然后摇晃着跃入舞池。他们试过教我几种现代爵士的舞步，但没来得及学会。人群翕张的一些瞬间，我重又感到自己像一头巨象，通过无助的摆动来寻求一种稀释笨拙的错觉。所幸，天很快就亮了。

有一天清晨，我们穿过卢森堡公园，夙夜酒气被露水衬成一道感伤的记号。公园里行人寥寥，远处不时传来一两声犬吠。不知是谁带的头，我们唱起一首年代久远的法语歌《再见了，马尔蒂盖》（《Adieu, Venise provençale》）：

> 再见了，在高大松树上
> 永远歌唱的蝉与蝉；
> 再见了，色彩柔和的驳船与
> 开满红花的丘陵；
> 我要走了，把我的心留给你……

途径池塘，只见秋水仙已涨破土壤——这意味着纵乐即将结束，作为我在巴黎生活七年的终潮。

一星期以后，他们聚集在戴高乐机场，送我登上回沪的飞机。机场见证过巨额离别，对眼泪与紧密相拥不置一词，静默地容纳了体内滑行的诸多流线。最早送走的是丁浩，一个读国际贸易专业的男孩，毕业便回广州打理家族生意。轮到我时，我们已多次相互允诺：回国后，一年必须见一次——重复反而使约定变得可疑，恍惚之际，我预见了友谊即将面临的长期阻塞。与我同城的有一对情侣，卫苇与罗家祯，因卫苇的父母打算来巴黎游玩，两人需再留一段日子。后来，他们告诉我，我回国那一日 Lou 也来送过我，可惜误了时间，到达时我已起航；但在场的朋友都不曾遇见Lou，或许这只是她的一种说辞。

二零零零年九月初，我回到上海，真正的生活扑面而来。

仍与父母同住，老房子位于城隍庙附近一条弄堂里，四面环绕拆迁的痕迹。两侧墙壁著满尘垢，仔细辨认，各种字迹浮上来——"到此一游""周来娣还钱""星期九"。无头无尾，出自各个时代人们的手笔，一种以粗鄙碾压秩序的呐喊式的撞击。为之伴奏的，则有窨井盖底部的污水。它们从肮脏的废料中汲取命源，日夜奔腾，以抵达最幽暗的永恒。

七十年代初，父亲花十元承租了这套公房。两室户，总面积不超过三十平米，要住下六口人。等我回国，父亲的长辈均离世，姐姐也已出嫁；同一所房屋，空间却显得异常拥狭。首先是声音——这几年，父亲的右耳几乎全聋，需凭高声讲话来探测与外界的关联。在此引领下，日常动静也向我露出獠牙：冰箱开关，缝纫机穿针，桌子折叠拖拉，公放的无线电，电视机停在某个满屏雪花的频道……突然之间，我再也无法忍受这些噪音，仿佛巴黎的生活成功离间了我与往昔。除此以外，我猛地察觉，从法国带回的东西那么荒诞。CD 机放在五斗橱顶，一次未用过。咖啡壶因久置的缘故，内部的旧渍结成斑膜。隔了两周，偶然翻到它，只觉一阵羞愧。

当时，"海归"还是一个新鲜头衔，落在弄堂里尤为惹人注目。从早到晚，不时有邻居从门缝里探进来。拜访的理由五花八门，实为看我一眼，以他们毫无关联的经验来甄辨一个海归博士有何特别之处。有些老人带孙辈来，指我为榜样；又转向母亲，打听我的习惯、作息、偏好食物，以便回家后模仿。起初，我将邻居们的热忱归于虚荣，常觉不耐烦。但我逐渐感到更深层面的意义，对他们而言，我即好运。与我同住一条弄堂，似是从命运纸箱中抽到一桩小奖，从而间接参与了一种截然不同的人生。

市政府也派人来慰问。父母一早穿戴齐整，等待之心经三五牌座钟的一次次敲击，胀得愈发忐忑。过下午两点，慰问小组姗姗而来。一共三人，父母把每一个都称作"领导"。最后一位进门，母亲匆忙接过门把手，怕老式木门的倒刺扎入领导的指隙。

最年长的领导握住父亲双手，这让父亲激动又不知所措。父母仅中小学文化水平，甚至不知道我博士论文的课题。尽管如此，当听说我是中国唯一一个在法国获得人口学博士学位的学者，母亲的眼眶中瞬间噙起泪水。

　　　　　　　　　　　　巴 黎 来 客

"草窝里飞出一只金凤凰来，实在不容易。"领导们说，出于好意。

"我们邻居都开他玩笑，一根头发换一句论文。论文写完了，头发也掉光了。"母亲本想说笑，话一出口却显得别扭。我低下头。

"读书辛苦，回来才能干大事业。"领导爽朗地笑起来。

"就是个人问题还没解决呢。"母亲叹气，"都三十四岁了。"

为此，我特意上过一档上海电视台的民生节目。同行有出国前的老同事，仍在计生委工作，彼时已升为正处级干部。临下半场，同事将话题转到我身上，借机替我征友。原本沉闷的观众席，忽而串满热情嬉笑。各式各样的提问向我抛来，得知我留法七年，有人问，那在法国有什么 aventure galante 吗？我告诉他们，我所就读的第十二大学在巴黎郊区，与繁华相去甚远；何况，平时读书都来不及，哪有精力花在情爱上。全场闻言起哄，根本不信我的说法。我只好勉强又说了朋友的一两段韵事，观众仍不满足，零星冒出几句抱怨。忽然，人群静下来，唯余几个话筒里微弱的呼吸声。灯光四下罩落，为细小浮尘供应暖白色的幕景。望向半空，只觉外部的边界在消融，流线趋于柔和、明媚，像一场被遗忘的节日终于降临。

出神之际，我缓缓想起了 Lou。

正式与 Lou 结识，源于罗家祯组织的一次牌局。罗家祯是十二大医学院的学生，与我同届。报道那一天，我们在签到处遇见，因为都自上海来便攀谈几句，得知我们坐的还是同一趟航班。他家住静安，对门即鼎鼎有名的红房子西餐厅。我告诉他，我拿到第一笔工资后，请父母去那里吃过一顿。他笑起来，说那家店他从小吃到大，现在菜已经不行了，只靠虚名骗骗外地人。我们的学制都是硕博连读，他本科刚毕业，我则出于工作机遇才来读书，年长他五岁。互通罢专业，他拍拍我肩膀说，孙博士，以后为人类文明作贡献的时候别忘了兄弟。我连忙说，哪里的话，碰上小伤大痛，还得求罗博士悬壶济世医一口。一来二往，也就热络了。在巴黎的这几年，我没交上什么朋友，和罗家祯倒一直关系亲近。

实际上，那天是罗家祯二十五岁生日。他承包下学校附近的一间叫 La vie en Rose 的餐馆，邀请我们一同欢庆。罗家祯相貌清俊，梳中式分头时颇有几分民国京剧小生的神韵；为人又率真，经常见他把一众男女逗得捧腹大笑，人们乐于和他交往也不足为奇。当天我还有课程报告没完成，但碍于生日不好推辞，仍然到了场。推开餐馆大门，赫然一派万花筒的气象:来客形色各异,或端着酒,或举自助餐盘,在大厅里旋转流动。其中绝大多数悉心打扮过一番,夹杂两三个故意蓬头垢面的,凑在一起,如百种宝石切面熠熠淌彩。只是不知为何,我手心泅出汗水,这沉浸式的热闹诱我不安。

我忍着轻微的头痛,独自喝下几杯威士忌,接着在大厅角落的麂皮沙发上昏昏入睡。待我再次醒来,满堂客人几乎散尽,几声咳嗽在空荡荡的大厅里激起回音。水晶吊灯熄了,一对鹊型台灯在远处幽幽擎起,光焰下聚拢了一桌人。我看一眼表,凌晨三点多,一边朝他们走去。

"明磊,你快帮我看看,这副牌还能不能跟?"罗家祯招呼我。他的外套丢在一边,只穿一件印满棕榈树的衬衫,正反复搓着手里的牌。

我凑近看,桌上铺着一摞牌叠,正中央摊着四张公牌,正要发第五张。那阵子,留学生间盛行打德克萨斯扑克,罗家祯出入实验室之余,消遣精力都花在牌桌上。由于生活费紧缺,我从不参与赌博性质的活动,但有时旁观作陪,慢慢也懂了规则。当时,罗家祯手握一对 Q,属于较大的对子,运气好再翻一张 Q,还能搏个 Fullhouse。

"试试也无妨。"我说。

罗家祯望我一眼,又狐疑地转向坐在他上家的一个女孩。那女孩恰也盯着他，喜色满面，伸手敲了敲罗家祯面前的筹码，催促道："快点，忸忸怩怩还玩什么德扑，你看人家都困了。"

我这才好意思打量那女孩——原来是她。我们早在上海同乡会聚餐时见过，接连几次，她和几个活跃分子谈笑成一片，我始终没机会同她说话。这天她穿一件连身长裙，粉白柔缎垂至腰部被褶皱收起，往下则钉满流行一时的羽片，仿佛她是一只渐趋蜕变的孔雀。尽管衣料不乏重工痕迹，她看上去却异常轻盈。

罗家祯向她介绍我："Lou，这是人口学的孙明磊，我好朋友……"

"我们见过的。"Lou打断他，"你不要扯其他的，抓紧时间，再打几把我要回去了。"

听到罗家祯说"Fall"弃牌时，Lou瞬间大失所望。一圈下来，Lou悻悻地把外面零碎的筹码拾到身边。刚才她已凑成了一副小同花顺，本想趁机猛赚一笔，谁料众人似看破她的牌面，都没有跟注。

庄家又发了几次牌，我不禁观察起Lou来。只要摸的牌不合心意，她便会在第一轮把牌丢弃。但凡她留下的牌，要么和公牌凑成了对子，要么有别的胜算。大家摸清了她的路数，这样打下来，输也输不多，赢也赢不大。打了几轮，她自觉无趣，蓦地摔下手里的牌。

"不玩了。"Lou 撇嘴说，"我这个人最单纯，什么东西都写在脸上，打牌也要被你们欺负。"话虽如此，她并无不悦，离桌时笑盈盈地四面环视。待她站直，我发现她骨架娇小，或许因为比例协调的缘故，远观时没有察觉这一点。

Lou 当然算不得单纯，这是罗家祯后来告诉我们的。她极富交际手段，尽管她常年把"要嫁一个法国富豪"挂在嘴上，依然有许多条件不符的男孩向她示好，前赴后继。我们的同学之中，姜兴华曾为她着迷过一段日子。于是，想方设法约她独处，从 Lanvin 的成衣送到 VCA 的珠宝，礼物悉数成为女神的祭品，最终不过是月下散步时挽了手臂。因为虚耗太久而无进展，姜兴华只好转投别的罗曼蒂克支线。Lou 倒也大度，两人尚且以好友身份相处，待他反而比暧昧时更热情一些。根据种种迹象，我们推测，Lou 的父亲是在法国经商的华侨，现阶段恐怕正逢商战失利，所以把 Lou 安置在郊外躲避。然而，落难公主仍胜于贫女，她的生存状态松散优越，既未读书，也无需工作，整天周旋于一场场约会之间。为了消磨时间，她频繁盛装出入各种读书会、社团，甚至把全国各地的同乡会参加了个遍。

等我们下一次在上海同乡会碰面时，Lou 主动和我打了招呼。已至十一月下旬，Lou 披一件大 V 领的黑衬衫，露出峭立的锁骨，好像浑然不觉寒冷。

"明磊，我今天和朋友去第五区看望那位老嬷嬷了，所以来得晚。你们快要结束了，是吧？"Lou 极为自然地迎上来，似一位熟识已久的朋友。

"什么老嬷嬷？"我摸不着头脑。

"你不知道吗，就是那个……"Lou 大笑，眉眼轻微上挑，如同一个神秘而张狂的斯芬克斯，"巴黎圣母院！"

"我刚来时去过一次，可惜那次走得匆忙，没上最著名的钟楼。"我赔笑说。

"你这个人真奇怪，他们说你不爱出门，一天到晚锁在宿舍里看书。"Lou 斜睨我一眼。

"不是的。"我连忙解释，"我得自己赚生活费。平时闷在宿舍，是为了给报刊杂志写专栏。如果长期没约稿，就只能接一点翻译的活儿。翻译比较麻烦，吃力不讨好，但总比没有好。要是时间充沛的话，我也想到处玩。"

意识到自己过于较真，我猛地收了口。再往下说，无非让 Lou 更轻视我。想至此，我的脸不由得发烫，那丛寄宿在精神苞片深处的暗火又一次烧上来。

与其他人不同，以我的家境，留学本属天方夜谭。母亲体弱，四十二岁那年，一场开腹手术削尽了她生命力的余枝，此后她便缓慢穿行于许多张病危通知之间。过去母亲在梅林食品厂包糖，我高中毕业时，母亲想让我顶替她工作。我也应允，但高中班主任反复家访劝阻，父母总算松口让我升学。于是，我在复旦大学念了四年图书馆管理专业，留校未成，被分配到计生委任文职。有一年适逢中法交流，单位派我给一位法国老太太当翻译。临别时，那位率性、痴迷浓油赤酱式菜肴，并能随手采撷各种玩笑的老太太——法国外交部长的夫人，突然建议由她举荐我去巴黎十二大留学。学校提供的奖学金勉强覆盖学费，生活费需自己想办法。为免父母担忧，我只说校方承担所有费用，私下则自己寻觅兼职。

"不要紧的，我也喜欢看书。"Lou 或许被我身上的情绪怔住了，语调随之滑落，不再像平日那般明快、激扬。我不知该说什么，静在那里，她就自顾自地讲下去："他们都不懂，所以我只跟你说。明磊，我这个法语名字，大半是因为喜欢纪尧姆·阿波利奈尔才取的。Lou 是他献诗最多的情人，'露，我深深的痛楚；露，我破碎的心'。"

人群浮泛而去，夜的触须盘萦于四周。沿一条湿润的小径，我们走向露天公园。这个季节，绿植多处于昏睡状态，稀疏草籽在暗光中轻轻翻腾。中央喷泉没有开，一座女神雕塑倚立在寂静之中——我们猜测那是维纳斯或克劳瑞斯，此刻，她跋涉过藏青色的纱翳，高举手臂以重葺人间荒原。

在 Féroce 酒馆，我们简单吃了晚餐。两杯苹果白兰地入口，我们都放松许多。Lou 滔滔不绝地谈论阿波利奈尔，他早年的流亡与参战，他的图形诗如何受中国水墨画的启发，他和毕加索之间脆弱的友谊。顺着她的兴致，我说自己也曾被《米拉波桥》打动。不是因为"为了欢乐我们总是吃尽苦头"或者"爱情离去如逝水长流"，实际上甚至和爱情无关；诗中另外存在一种永恒而置若罔闻的目光——米波拉桥下塞纳河在流，不变的方向、速率，对世间万种幻化浑然不觉。他一度承受爱情之苦，但如今他已懂得，真正的痛苦在于与永恒之间的落差，这种领悟使我们自身的意义无处依附。

Lou 眯着眼睛，露出一种并不充分却很柔和的笑。她像在思索我的解读，又像早已明白，因而不过是在容忍我的激进。我注意到，她沉默的时刻何其异样，与平时判若两人。嘈杂亮起来，混合调酒、冲水的声音。广播里一曲终了，衔接一个爵士版本的《La java bleue》。良久，Lou才再次开口。

"那么，国内现在流行读什么呢？"

"上次回家是前年，已经不知道了。"我讪笑，鲜少回国是因机票昂贵的缘故。

又说到上一回是为奶奶病故，连夜订票回家。大殓仪式前两日，父亲高血压住院，诸多操持不得不落到我身上。我在待人方面一贯笨拙，外加时差也未倒回来，因而错漏百出，事倍功半。葬礼的最后环节是由我跟去火葬场，从火化的灰烬中挑出遗骨。春节刚过，我身穿学生时代买的旧羽绒服，远远望着熔炉里红得发亮的流焰。由于太过疲倦，一时只是失神，对死亡也无所感觉。然而，当我从火葬场走出来，刚准备点一支烟，忽然瞥见一场大雪正洋洋洒洒地从天而降。一种青灰的光障着天空，使之看上去心事重重。雪倒落得自在轻逸，久之更为细密，宛如被吹散的一蓬蓬云絮。说不上来什么原因，回国的那几天，即便最焦灼之际，或悲戚四啼的葬礼中，我都不曾落过泪，却在那一刻倾囊而下……

"我知道了！"Lou原本瞪着我，这时双眼一转，轻快的笑意又上涌，"大概是在一个瞬间发现，其实自己还是属于那个环境的？"

"不全是，我说不清。"我思忖说，"更多是因为在鸡飞狗跳、近乎崩溃的境遇之中，竟然还会有那样一场雪。"

"真没想到，原来明磊是个浪漫主义者。"Lou尖笑起来，配一种玩笑性的不怀好意。或许因为已喝不少酒，她整个人变得很剔透。灯光随机喷洒在她脸上，细碎闪烁，她不时眯起眼，仿佛随时可能从魅暗中消失。

"不是这样。我当时那种感受，生活优越的人是很难明白的。"我忽觉难过。

往后的两周，为了赶一篇十万字的小说翻译，我几乎没出门。每天伏于桌前，靠三四杯咖啡抵御困乏。累则断断续续小睡，久之便多少有些日夜颠倒。期间，罗家祯来看望我一次，大呼脏乱，戏称下次要从实验室偷个紫外线消毒仪来。我们点了披萨外卖，房间里满是烤芝士的气味。一边吃，一边讨论圣诞假期计划。他新换了女友，与他同专业的卫苇，届时两人准备自驾去枫丹白露。我说我还有论文要写，多半就在公寓。

不久后的一日，我小憩醒来，只见窗外正下着大雪。下午四点不到，天色已露昏沉疲态。地面积起簌簌白黪，沿路长凳被染湿，沁出比往日更深的木纹。我拧开电视，新闻里也在播报巴黎初雪的景象，城郊地区雪势尤其壮观。我坐在沙发里，懒于动弹，很快咖啡也冷了。

就在这时，我忽然收到 Lou 发来的消息。

她说："明磊，我明白了。"

欧元与美元汇率持平，大约是在二零零四年。当时，父亲把我留学期间攒的一万欧元换成美元，指望等美元再涨时收益。谁料美元从此一蹶不振，欧元反而一路上升。有一些年，父亲总为此事懊恼。一生之中犯过那么多错，晚年混沌起来，把命运承载过的诸多失去之苦都映射在外汇赌局之中。

　　好在那一年，经济已不再是家中的主要负担。零二年初冬，第四十一届世博会定在上海举办。翌年，上海世博会事务协调局成立，向全国统招工作人员。因精通英法双语，我考入世博局的研究中心，负责《注册报告》的编写和统稿。事业渐趋顺遂，除了深处忙碌的暗劲，大致也算得上体面。又从单位渠道买入低价房，每月薪酬冲抵完贷款，尚有一部分可补贴父母。

　　多少出乎我意料的是，回国后，我与罗家祯的关系比往日更热络。他和卫苇结婚多年，有两三回传出怀孕的喜讯，均落空告终。有一次，他私下告诉我，这和卫苇在放射实验室工作有关。他打着手势，反像在宽慰我。他说，明磊，这是没有办法的，对吗？一个人不可能什么都得到，他必须为自己的选择承担责任。我笑笑称是，读书时我便隐约察觉，罗家祯貌若不务正业，实际上对人生有独到见地，比其他人都看得远。

罗家祯常组织我们聚会，陆续又结识一些朋友。有些也是十二大的学生，过去我总躲在闭塞的屏障后，同乡会活动参加得少，如今反倒和大家往来频繁。早些时候尚且年轻，三五好友到处宴饮寻乐，不知岁月几何。反复多次，逐渐领会酒后的真挚不过是一场基于错觉的表演——不是刻意想表演什么，归根结底，这些致幻剂无法与人生的有限性抗衡。意识到这一点，酒也变得无味。此后，麻将与牌局轮流交替，我们两周一聚。卫苇流产后，鲜少在朋友间露面。偶尔牌局设在他们家里，她才同我们闲聊上几句。她的脾气也改变许多，显得温柔、平静，好像世上不会有任何事再令她震惊。她身上曾有一些激烈而神秘的成分，现在被时间蒸馏去了。

　　我们上一回喝得烂醉，还是在我的婚礼上。新娘是一位翻译家的女儿，她父亲与我就职于同一栋楼，偶然契机，便把我介绍给了他女儿。妻子的年龄和我相近，性急中杂几分侠义，尽管家境悬殊也愿意下嫁。我们的婚宴设在上海浦东柏悦酒店，妻子娇小，不肯穿高跟鞋，我低头则看见她梳得硕大的发髻，上面随意旋入一把米色花粒，被流光涤得莹亮。我感到恍惚。刚刚敬着酒，到罗家祯一桌已近尾声，其他宾客纷纷离了场。

　　罗家祯自己带来几瓶干红，此时都喝得见底。他试着站起来，一个趔趄，卫苇连忙伸手扶他。我见状把酒杯暂置桌上，搭手引他入座，但他又一次站起来。

"明磊，我今天真是太高兴了。"罗家祯勉强瞪大眼睛，反复念叨这一句。

"那么你下次打麻将让让我，我也好高兴一下。"我照例开玩笑说。

"不是的，明磊。你还记得刚回国的时候吗，你跟我说，上海变得认不出了，你们老南市被黄浦区吞并，周围拆得一塌糊涂；以前同学都聊不来了，对着父母也不知道说什么。你说你在巴黎也是，没有归属感，就像个客人。出去走了一圈，发现哪里都没有你的位置。"罗家祯望着我，那股罕见的认真使同桌的其余人沉默下来。他继续说，"现在好了，你有自己的家庭了，以后会越来越好的。"

我一时语塞，只让卫苇阻止他再喝酒。倒是妻子很感动，柔顺地挽着我的手臂，一边忙不迭向罗家祯夫妇道谢。

那天罗家祯说了许多话，赖在桌边不愿回去。我们都说他醉了，他矢口否认。婚礼结束以后，我和几个朋友送他们夫妇上出租车，他几乎是被塞进车门的。临别时，他神志不清地和我挥手道别。他说，明磊，如果现在是一九九四年就好了。

一个多月后，我们在麻将桌边重逢。朋友们不由得哄闹，明磊，又没出国蜜月，怎么人都不见了？我解释说，最近单位事情多，国际展览局要求我们在十月一日前把注册报告送到巴黎，时间紧迫。罗家祯抽着万宝路，专注地叠着手里的麻将牌。这些年他胖了不少，对异性似乎也失去了心思，但依旧注重细节，举止潇洒。我对罗家祯说，现在听到"巴黎"这个地名，好像已经很远了。自从你上次提过后，我一直在反思那些城市和我的关系。罗家祯摆摆手，面露狡黠的笑意，说他记不清了，反问我他在婚礼上到底说过些什么。我们想起他酒后失态的场面，都大笑起来。

我们顺势谈起一些昔日旧交。丁浩对家里的实业不感兴趣，自顾自投资起互联网公司来。有段时间，他每天在msn上呼唤我们去广州度假，发一些数码相机精心拍摄的茶点，有一天突然替换为他双胞胎儿子的照片。原来住罗家祯隔壁的小马，回国后在北方一所高校教书，月薪不过两千，每年靠翻译法国电影节的字幕来增添盈余，不时还得问家里要钱。我们又说到Lou，大家都与她了无联系。有人推测说，她结婚迄今快六年了，照法律已经是个法国人了。

我们久未言语，手中麻将噼啪作响。窗微微推开一道，幽暗的光在大路上空漫开，仿佛此前落日吐出的一丝橙红被路灯汲去，经稀释、摇匀，反刍于无边的黑夜。在光线几乎无法触及的底部，青草费力地衍开躯体，野露淌落，草尖闪着光。我想起多年前的一次除夕，因未能回国，便去一户朋友家守岁。他们租在协和广场附近的一条小巷里，房子的天花板很高，窗外渗进的光使房间具有一种末日氛围。那时我正忧虑回国后的工作问题，有一瞬间，只希望能摸到世界的某个按钮，按下以便中断一切。

不知打了多久，输赢未决。罗家祯忽然轻声说，其实我们到哪里都是客人，我知道的。这个我早就想通了，兄弟。

读博那几年，Féroce 酒馆成了我们惯常的据点。

无雨的日子，我们占据露天花园南面的一排桌子，红白相间的大伞罩在顶部，日光须稍倾斜，才能将咖啡杯的影子拓上桌面。Lou 是唯一在白天就开始喝酒的人，她用左手捏住杯梗，五官作出一种向上飞升的形态，向周围每个人敬酒说"À votre santé！"（为您的健康干杯）由于 Lou 多番要求，我闲时也会去 Féroce 小坐。我总挑最靠边的椅子，看 Lou 在朋友之间来回，像一只被烧得红光艳绝的蝴蝶。她的兴致似存在某种刻度，而酒精恰是使之增溢的方式之一。有一次，她一口喝干一杯红葡萄酒，非要我教她讲上海话。霎时朋友们都望向我，我不免紧张，吞吞吐吐地教了一句"侬今作哑饭切故哦？"（你今天晚饭吃过吗）Lou拍手大笑，用干硬的语调模仿了一遍。我纠正她，"作"字念得轻一些，把它视作跨台阶时往上收的那第二个步子。Lou重新练了几次，突生感慨说，她其实听得懂一些上海话，小时候还去过上海的城隍庙。

倘若凑齐更宽裕的休闲时光，我们就去巴黎市区游玩。校址尽管偏僻，坐地铁8号线去小巴黎却也方便。在巴士底狱歌剧院，我们赶上风靡一时的歌剧《波西米亚人》。一些夜间漫步途中，朋友们涌入塞纳河畔的探戈舞群，我则站在寂静的地带，看一切动荡掩映成水中影——我就是在那时学会抽烟的。我们曾花了两个整天沿塞纳河而行，越过葱挺的白杨树，远眺两岸倾斜的铁皮屋顶。河水呈一条灰绿色的曲线，有人说，塞纳河的形状就像一弯因惊奇而挑起的眉毛。在15区的码头上，我们踢散鹅卵石，钻到水边钓鱼。Lou等得不耐烦，捡起碎石往远处丢，温驯的水面迅速将石块咽入河底。我们纷纷阻挠Lou，说这么一来，鱼被吓得更不肯出来了。见我们一无所获，Lou反而更高兴了，在河边哼起Patrick Bruel的小调。

借查论文资料之名，我私下约Lou去过一次国家图书馆。那天，Lou有些心不在焉，一路抵达左岸，她几乎没说几句话。图书馆由四幢巨型玻璃塔楼组成，两两叉叠，设计者或想以此模仿一本竖立的书。我们沿路往前，绕过一片下陷的人造丛林。进馆以后，Lou 因嫌烦闷，把我留在借阅区自行闲逛。当我们下午在露天平台重逢时，Lou 正拿着一个装咖啡的黑色纸杯，眉头紧皱。

"我要回去了，这地方叫人忍无可忍。"Lou 似乎已喝了好几杯咖啡，手腕不觉痉挛。

"吃完晚饭，我送你回去，好吗？"我犹豫地问。

"不行，我现在就要走。"

Lou 抬起脸，她黑眼圈较平时更重，几条干裂的细纹延伸到眼尾，化妆也没遮住，像失去光泽的月球表面，看起来格外憔悴。我来不及说什么，她作势要离去。没走几步，突然又向我回身。

"我今天心情不好。这个地方造得太难看了，难看、而且惺惺作态，后现代主义像一群蜜蜂嗡嗡嗡地叫。这里的人也是，那么多，那么丑，哪里的人都一样……总之，是我自己的问题，你不要介意。"讲到后来，Lou 满脸厌恶被一种疲惫所替代。

那以后，Lou 一连多日没去 Féroce 酒馆，到处都不见她的踪影。我从来弄不明白 Lou 的心意，担忧自己哪里惹她不快，不敢贸然与她联系。寻机会问罗家祯，他也不知情，只是感叹，一向吵吵闹闹，忽然竟不知去向。

六月的一天，我和几个朋友在 créteil soleil 购物中心散步，蓦地看见 Lou 独自在 Lancôme 专柜试一支口红。她将脸从镜子一侧移出来，朝我们轻快地招手。她的面色略显苍白，干燥、又单薄，像一张即将失形于荒漠中的假面。可她浑身流溢出奕奕神采，如纸灯新换过烛芯，一种内焕的明艳紧攥着我们的注意力。她让我们从一排口红中选出顺眼的色号，我们面面相觑，说根本看不出差别。她皱眉笑骂了我们几句，自己挑了一支紫红色的，当着我们的面涂完下半嘴唇。

"你最近在哪儿，发消息也不回，你不来我们怪冷清的。"其中一个朋友说。

"谁要跟你们这些狐朋狗友瞎混，我忙着呢。"Lou 在镜子里打量我们一圈，嗤一声笑出来，又随手抓起另一支口红。

"什么瞎混。"朋友故作愤愤不平，又谄媚地调侃，"最爱玩的就是你，鬼主意一套一套的，怎么突然转性了？"

"你再乱说！"Lou 伸手去掐那人的腰。她的指甲新涂了大红色，六月正暗暑葱茏，将甲片衬得像烫伤的小创口。这时，Lou 瞥见我，眼露笑意说，"你们这些人都没个正经，我和明磊才是一路的。"

朋友们嘘声一片，Lou 趁势说："要不你们把明磊给我留下吧。"

我们本无要紧去处，不过是信步丈量巴黎的初夏，便留我陪 Lou 消遣。我们又逛几家美妆店，Lou 把新出的产品都试了一遍。我坐在一边，等她与店员攀谈使用感受。那些专柜的女孩都称赞她，有一个亲昵地叫她"中国娃娃"，她似乎也沉湎于这种亲近之中。等我们走出商场，黄昏的前兆已翻涌上来。凉风长驱而来，像一阵尖细的口哨轻轻削过菩提树叶，树影凌乱，因天色黯淡的缘故，影子的边缘非常模糊。远处的天空中，似浮着大量打翻的棕榈油。初时一波浓稠的光泽向外铺延，转而大幅度焚炙起来。

"实话跟你说吧，明磊，我前段时间发了一场高烧，整个人蜕了一层皮。"Lou 嘻嘻一笑，好像在讲述别人身上发生的事。

"什么毛病，你怎么不跟大家说一声？"我有些吃惊。

"哎，感冒转成肺炎了，我小时候也有过类似的，没什么大不了的。"Lou 说得轻描淡写，眯起双眼望着夕晖来处，脸上沥一层暗金，"我跟你去国家图书馆时，刚开始咳嗽，大概人也有些恍惚了。"

"你早点说，我们就不去了。"我歉疚难耐。

"哪有那么严重，就是……" Lou 垂下眼睑，重新抬起时像下过某种决心似的，"其实我原有一个法国男朋友，相处了好几年，前阵子突然提出分手。他没告诉我原因，我也没问，一怒之下就从他家里搬出来了。恰好又逢生病，一下子有点应付不来，好在现在没什么事了。明磊，今天能碰上你真好。"

Lou 平时随我们嬉闹无度，但对自己的事情一贯绝口不提。不期向我坦言，我一时不知该如何回应。一来多少有些受宠若惊，二来 Lou 私下保持着一段那么亲密的关系，朋友之间无一人知晓，想来低落而觉不可思议。Lou 见我失语，解围似的笑起来，轻拉我的袖子说："你要去我住的地方看看吗？就是刚租不久，东西还没收拾好。"

我们匆匆吃完晚餐，Lou 引我往商区北面的一条小巷而去。沿路兜转几回，步行约二十分钟，终于走进一所破落的街区。

得知 Lou 住在附近，我大为惊讶。周围的房子造得崎岖不平，像一头远古猛兽张大的口。沿街商铺开了遍地，有些已经打烊，几块破损的幕布垂下来。二楼外墙上多糊着海报，被一场场雨洗得褪色。孩童倒吊在树干上，扮作秋千。夜色深处，有人高声呼喊某个名字。这里虽不算贫民窟，但也是典型的 3A 聚集区（Asian、African、

Arabian），治安混乱。我屏住呼吸，跟着 Lou 往里走，她住在一栋房子的二层。

Lou 打开门，一间二十平米的单间暴露在眼前。几个打包箱堆在一边，靠内壁一侧，衣架上挂满各色奢华的服饰，不亚于剧院的后台。她先我一步走进去，带上了卫生间的门，说下水管道有问题，这几天都是异味。我一心想着关于 Lou 身世的传言，对比当下这寒碜的遭际，不免心酸。Lou 倒不以为意，迅速铺平沙发，又拿出一对 tiffany 的红酒杯。

"一个女孩子住在这里，还方便吗？"我吞吞吐吐地问。

"怎么不方便呀。这间房子价格便宜，朝向好，一天最长有六小时能晒到太阳。别看楼下摊位乱糟糟的，日常需要的东西都有。"Lou 说着，往杯子倒了气泡酒，空心小颗粒从桃粉色的液体中缓缓升起。

我们大口喝着酒，一道道转瞬即逝的清凉滑过喉咙。Lou 像是察觉了我的不安，却也不道破，只笑着往我杯中添量，不久又换成一种白葡萄酒。

"你想什么？"我正走神，Lou 忽然问我。

"没有特别的，为一篇小论文发愁吧。"我掩饰道，尽管这句话也有一部分属实。

"我知道你想什么。"Lou 咧嘴一笑，下午涂的口红已被她吃了大半，"你肯定觉得我虚伪，故意骗你们，凭那种傲慢的姿态得了许多好处……可我总要生活，谁不想当个体面人，除了姿态我还能靠什么。明磊，我跟你说这些，不是要你体谅我，也不想解释什么，只不过觉得你可能理解我。我一个人在巴黎，连说点真心话的朋友都没有，人对'真实'多少都有需求的。"

"我理解。"我说，几乎嗫嚅。

"哎呀，你别愁眉苦脸的，又没发生坏事。"Lou 向我晃了晃酒杯，做鬼脸想逗我笑，"你这样我都不敢说了，我比你们以为的要差得远呢。其实我都没读过什么书，中学就到巴黎来了。"

夜色愈发茂密，那盏立式台灯是房里唯一的抗衡者，反衬之下，光线更聚焦地往我们身上落。由于沙发太过狭窄，Lou 坐到与沙发呈直角摆放的单人床上。我向她望去，看见床头柜里杂乱堆放着首饰、香水瓶、棉签、笔、本子，还有几罐烧到一半的 Diptyque 蜡烛。混杂的香味如音调流过来，总体清淡，像经夏日湿漉漉的雨漂洗过一番。

我至此才知道，Lou 与我都生长在东南沿海一代，童年环境多有一些近似——春秋两季短暂到不可触，过于丰盈的雨水填往日常空隙中。父母忙于生计，儿童最初几年都随祖辈度过。Lou的家乡是浙江的一个小县城，距离上海200多公里。她父亲年轻时当过田径运动员，左腿骨裂后没恢复好，县城的医疗资源也有限，落下瘸腿的病根，从此只在当地各户厂家之间做临时工。母亲长相出众，美貌为她的梦提供了过量辎重，以至于她一生都过得浑浑噩噩。儿时，母亲带她到上海董家渡买布料，走到十六铺外滩，竟有照相馆愿免费为母亲拍照。母亲为此引以为豪了好些年，又像笑纳照片似的，招迎来一段又一段的情感追逐。父亲发怒、打骂、日日酗酒以隐忍无从改变的一切；母亲一次次崩溃哭泣，接着像为了证明什么似的，反而变本加厉。在Lou念初二那一年，母亲带她跟一个男人偷渡到巴黎来……

"她很快就病死了。我知道她的，像她那种过法，本来也很难撑得久，早点结束该算幸运的。"Lou仰头，轻轻拉伸着肩颈相连的肌肉，一种微乎其微的酸疼感在体态里扩散。

"既然这样，你为什么跟你母亲偷渡呢？"我问。

"我为什么跟她偷渡？"Lou重复了一遍，面露困惑，好像她从未想过这个问题，"已经过去很久了，哪还能记得那么多呀。不过，我一点都不后悔来这里。巴黎是个大世界，只要你全心投入，它就会待你殷勤。我相信这个。"

"不要太累就好了。"我说。

"明磊，你千万别替我难过。那些不好的事情，都过去多少年啦。我以前是有点想不通，但现在完全不在意了，真的。"Lou 快活地跳下床，光脚踩着地板，一面草草收拾茶几，洗过双手。片刻，她重新躺下，把床头一本棕色皮面笔记本递给我，说："这里面有一些我翻译的法语诗，你能给我读几段吗？我有点累了，大概很快会睡着。今天太晚了，你不介意的话，就在沙发上睡吧。"

我翻开本子，Lou 对阿波利奈尔的偏爱尽在其中。我随手选了一首叫《离别》的短诗，译文一共没几行，页面上却是字迹与划痕斑驳相生，Lou 似乎改过许多次：

《离别》

我摘下这枝欧石楠

秋日已逝 你还记得吗

我们在世上再难相见

时间之味 石楠的枝

请一并记得 我在此等你

不知不觉，Lou 轻声打起鼾来。绵长的呼吸声在房间里明灭，像有人慢慢往一只彩球里充气。我仍在为当日涌来的大量信息不平，以致久无睡意，便一页接一页往后翻。蓦地，笔记本最后的夹页里掉出一张信纸，折叠成方块。我小心翼翼地将其铺展，漫长岁月噬尽了纸张中的水分，纸质脆得像经油炸过，边缘亦泛出层叠的黄。

信上的笔迹堪称娟秀，一路精细、流畅，似乎是草拟了几稿后誊写的。读了几行，我推测是 Lou 中学时代的好友写的，以送她远行。而我的目光不时回到信纸最上方——像巨轮的风帆悬挂之处，那里写着 Lou 的中文名字：林初静。

林初静：

　　你好！

　　我写了很多个开头，都不满意，叫人十分怀念以前"下笔如有神"的时候。也许因为你要走了，这可能是我们最后的通信（如果运气不好的话），我太想认真地写了。然而，当一个人特别想展露真诚的时候，他会发现自己一无所有——不存在纯粹的真诚，它只是一种交往的手段，这也让我很失望。

　　你的行李收拾得怎么样了？确定具体什么时候走了吗？你刚告诉我这件事时，我还以为是假的。你那么聪明，又爱开玩笑，我经常分不清你哪句话是真的。

但好长一段时间里，你好像都很害怕。你问我，到底应不应该跟你妈一起去巴黎。其实我也不知道，你最好还是自己作出选择。以后很多年里，你会无数次面临抉择的时刻，你不能在这一步就搁浅住。现在，我想你已经想清楚了这个问题，我很替你高兴。

在我看来，虽然出国后很多事情说不准，但至少能让你离开原来的家，给你的命运增加一种偶然性。我最近一直在思考"偶然性"的问题，它非常微妙，她是我们毫无退路时最后的赌注。世界上有各式各样的偶然性，从前有个王后想生一个皮肤白如雪、嘴唇红似血、头发像乌木一样黑的公主，她如愿以偿，但是她难产而死，孩子托付给了女巫继母；当然也有很多是好的，大部分童话都是的，我就不列举了……总而言之，偶然性有好有坏，但我希望你得到的那些是好的，我真的非常希望如此。只要我一想起来，就会为你祈求。

你们准备怎样走呢？我在电视里看到过，好像很危险，但只要熬到那里就好了，大多数人都能顺利到达。我没法为你送行，这是日后想起多少会遗憾的事情。等你到巴黎以后，如果有了确定的住处，请务必写信告诉我。将来我有机会能去巴黎，也一定会去看你的，到时候请你带我去埃菲尔铁塔下面拍照。

　　祝我们的友谊地久天长！

孟书婷

　　我合上笔记本，起身将台灯里摇摇欲坠的光线拧熄。夜彻底遮盖下来，纯净的夜，消弭了事物之间的分寸，就像时间被烧毁后撏落的粉尘。昏暗中，我轻轻眨眼，直到适应新的视线环境，又觉得了无意义。

　　我辗转不止，一直处于最浅的睡眠状态之中。

　　半夜，听见一阵微弱的吸涕声，便迷迷糊糊醒来。我抬眼往里看，Lou 弓起背，面朝墙壁，身体如流电似的微微颤动——她在抽泣。

　　那年仲夏，我接到 Lou 的电话，据我们上一次见面已有十多年。她的声音被电磁波兑换出来，我一时恍然，仿佛这些年我们从未真正失联。她亦在某个地方随我生长，草蛇灰线，有一天猛地跃出沙尘。电话里，她声称自己正在上海，如果方便，希望与我见一面。我一口应承，说等问过在上海的故交后，请她和大家一并叙旧。她连称不用，只是有私事拜托我，并请我替她保密。我们匆匆商议时间后，她挂断电话。

这是二零一零年，一个幸甚至哉的年份。五月初，世博会正式向公众开放，园区里客流日日如骇浪滔天。我被调到主题演绎部，主要统筹上海世博会展览的评奖，此外亦有诸多琐事缠身。办公室在城市最佳实践区里，浦西离家近，有时下班可顺路接女儿。

那一年，女儿五岁。她出生时面带一块胎记，半张脸大小，暗红鱼形，据说长大会稠成青色。我和妻子每月都带她去医院，激光治疗，逐渐淡化。女儿很少谈及胎记，只有一次姐姐来访，女儿对姑妈解释，她脸上是不小心沾上的番茄酱。妻暗自哭泣不止，自此以后，我们把女儿送去学滑冰、游泳、攀岩，迫使她注视户外辽阔开朗的世界。我常靠在滑冰场的围栏边，远远望着女儿。她奋力踩住滑冰鞋，前倾以控制微小的身体。起初摔倒在所难免，慢慢便可以大步跨出去，在冰场里绕行一圈又一圈。有时她玩累了，滑到我站立之处休息，无意间向我展示她眼下所遭受最大的困境——汗水细渗，胎记那一侧的脸比平日更红。那一瞬间，我难以置信，这块红斑竟是我和妻子焦虑、痛苦的来源。除此以外，女儿所拥有的一切都何其富余。我想起自己的儿童时代，一无所有，荒原一片。那些年，我成天去弄堂深处的井边探水。听老人说，凡有大事发生前，井水必有异兆。然而，清晨、黄昏、哪怕是夜来香统据的时刻，井水永远同一副模样。某一日，井忽然被填封了。

翌日傍晚，我和 Lou 约在一家本帮菜餐馆。走进大堂，嘈杂人声织成一障薄雾。地板以蓝白小格马赛克瓷砖铺就，明黄灯光一落，颇有几分怀旧意味。为寻一个私密的环境，我提前预订了包厢。推开门，Lou 已坐在里面。和过去相比，她长相的变化并不算大，乍见依旧美艳。那条豆绿色的连衣裙看起来飘逸、柔软，沿袭了她往日的风格，但令我诧异的是，穿在她身上竟显得那么不合身。见到我，她的面部下意识笑起来，饱满而持久，反倒有些不真实。

我对餐馆还算熟悉，照经验点下五六道菜。想让 Lou 试试店里独酿的黄酒，她却说已经戒酒。我开玩笑，连你都不喝了，我们当年的狄奥尼索斯俱乐部算是彻底散了。Lou 含笑不回话，貌若拘谨、得体，过去那副伶牙俐齿失了行迹。等菜逐渐送上来，我们的交谈才稍微流畅一些。Lou 说起我离开法国之日，她本想送我，但犹豫之际错过了。我说没关系，听他们说，你赶到机场后航班已经起飞了。Lou 有些惊讶，自问似的说，我去机场了吗？我忘了。不管怎么样，明磊，我早就原谅你了，我那时还是把你当作最好的朋友。

讲到后来，Lou 这一趟回国的缘由逐渐明白。早些年，她和法国人离婚了，用她自己的话说是"逃脱成功"。她把法式浪漫指作一种虚荣，对实际生活不仅毫无裨益，反而误事。两人正式分居后，孩子随 Lou 一起生活——我打断她，你以前不是讨厌小孩，很排斥生育吗？Lou 移开视线，原本交叉握紧的十指忽然松开，双手抽回桌子底下。Lou 摇头说，也不是讨厌，怎么说呢，我现在知道了，人说过的话都是不算数的。我点头，暗想许多事确实如此，世上的流动性实在难以捉摸。Lou 又朝我望一眼，紧咬着嘴唇，像在杜绝某种发颤，我从未见过她这副模样。她缓慢地告诉我，孩子得了急性白血病，眼下先要挺过这一关。

包厢里闷得很，久坐竟有些窒息。我起身把窗打开一牖，时值夏日，即使入夜马路也满盛清亮的光。我感到正身在一场梦中，所见之物随时会形变。我在时空一隅站定，却根本不知道自己身在何处。

待我重回座位，Lou 已平静不少。我这才明白此番重逢时 Lou 身上的那些异常——她被命运剥落的锈片堵塞了，变得迟钝、游移，她竟在忍受一切。Lou 抬头问我，怎么样，你能借我一些钱吗？我保证，一问他爸要来就还你。我转头避开她，问，大概借多少？她似乎有些拿不准，三十万？二十万也行，其实我对人民币没什么概念，二十万也就是三万欧左右……房间里寂静一片，空间正对我们进行某种凝视。我搪塞说，这不是小数目，要和家里商量才能决定。Lou 说，好，我等着你。

我们又聊起一些别的，但都已心不在焉。没等服务员把赠送的果盘端上来，就打算离开。临别前，Lou 取下一张没用过的纸巾，折成鸟的形状，摆在餐盘前。这是她固有的习惯，一种来自顾客的独特感谢方式。我不禁被这调皮逗笑，对她说，你还是和以前一样啊。谁料她闻言一惊，缓过来后，不无伤感地说，哪有，我明明老了很多。

巴黎的春天似一种障眼法，日历撕到四月，一路晴空寥寥无几。有位法国女同学曾夸张地表态，愿意用两年内收到的所有鲜花去交换一场真正的春天。不过现实中，她仍旧每周重置花瓶，雨、雪、雨夹雪也毫不客气地侵略着巴黎的春天。有一阵子，Lou 也喜欢以此开玩笑，逢人就说 "Il fait beau, c'est le printemps."（天气晴好，春天来了），这是她从蓬皮杜中心语音室里听来的，或以为应景，便成了口头禅。

自从知晓 Lou 的身世，我和她相处常觉不安。也许我天性怀藏一种直兀，一旦心里悬起秘密，就无法对虚假的表面无动于衷。朋友们聚会时，我总是忍不住偷觑她——依然明亮、欢快、轻而易举地占据主角的地位，可这种落差更令我心酸。一些小事上，我情不自禁地袒护 Lou，以致不少朋友私下来问我，是否在追求 Lou。

有一次从 Maison des Langues 教学楼出来，卫苇特意拦住我问："明磊，你这人不会逢场作戏，该不是认真的吧？"

我被她煞有其事的一瞥弄得紧张，本就不善社交，顿时更加手足无措，谈吐也支支吾吾起来："你听说什么了？"

"你太单纯了，凡事当心一点为好。"卫苇意味深长地望了我一眼。她原本还想说更多，不抵她同学在远处招呼，只拍拍我肩膀就走了。

那时我还不知道卫苇与 Lou 的微妙过节，对女性之间多枝节的关系亦无从领会。卫苇的警告听来有几分别扭，但于我而言，并不值得深究。直到春日为阴霾耗尽，又一年六月衔接而来，罗家祯组织一众朋友去卢瓦尔河谷的别墅消暑，我才察觉卫苇与 Lou 已闹到互不交流的地步。

白天，我们坐船去地底河探险，蝙蝠像小型战舰在头顶巡查。上岸后沿河徐行一段，女孩们信手摘一些卡罗莱纳茉莉、杜鹃，一到镇上就钻进酒馆。罗家祯对享乐极具天赋，和他在一起，我总被迫抛开平日里苛刻的自我要求，倒也自在。夜晚亦是无尽宴饮，这两年临近毕业，朋友们各有所忙，不再如饥似渴地扑在牌局上。偶然凑齐打一次德扑，反而有一种"昨日重现"的怀旧感慨。那天我们躺在别墅底层的地毯上，罗家祯兴致勃勃地摸出一副扑克，但大家都已精疲力竭，说喝酒闲聊便已足够。卫苇俨然一副女主人的气派，从冰箱里拿来龙舌兰和绿茴香酒。其他几个女孩起身，帮卫苇筹备。几乎是一气呵成地，洗杯子、制冰、开瓶。白日里从农贸市场买的橙子挂在一侧，忽然有个女孩喊着，说要为大家调 Tequila Sunrise，此地虽无石榴糖浆，勉强以黑糖代替也无妨。Lou 缓缓坐起来，丝毫没有帮忙的意思——从早晨起即是如此，朋友们不自觉分为两队。一队由卫苇领着几位女性好友，另一队则是簇拥着 Lou 的男孩们。

卫苇暗自与 Lou 较着劲，她与女朋友们似乎共享着某种关于 Lou 的偏见，这使她们凝成一个更为紧实、锋利的团体。我途经厨房，听见一个音色清脆的女孩小声说"那个老公主又在作什么妖"。语调并不像疑问句，旨在揭发一段令人厌恶的事实。那些年，女孩们总显得神秘莫测，或许因为她们凭态度而非语言传递信息。我不愿听她们多说，却也立刻意识到是在讲 Lou。从卫生间折返时，厨房里响起卫苇带哭腔的抱怨，断断续续，像一根接触不良的电线供着一串明灭不定的灯泡。回到大厅，Lou 兀自和朋友们谈笑风生，一会儿拉着这位耳语，一会儿又嫌那位注意力太涣散。大笑从她喉管中升起，如阵浪，似焰火，高饱和度的正红色唇膏封在她口上，叶脉分明的唇纹让她看上去无异于一个女巫。在我离开巴黎多年后的一日，蓦地想起 Lou 的笑声，忽然发现她是我认识唯一一个那样笑的人。她的笑法里藏着一副多米诺骨牌，一发不可收拾，听来有一种歇斯底里的滋味。张口大笑的时候，她仿佛把自我的一切成分都抛弃了，而用剩余的肉体填充、扩张那个原本并无多少幽默感的瞬间——就像对着虚空的一阵呐喊。

　　朋友们喝得昏昏沉沉，渐次回房休息，等待漫长的睡眠将我们引向一个新的好日子。我没有喝多，只因心中一派空落落，无意以酒水浇灌。也难以入眠，长久地躺在床上，听那架古老挂钟里秒针的节奏。半夜，隔壁房间隐约传来说话声，狷急、忽轻忽响，似在吵架。那是罗家祯与卫苇的住处，我正犹豫是否要去察看，吵闹突然转为一阵器物摔打之声。

　　我被墙壁震得挺起身，慌忙去开门，恰看见卫苇匆匆往楼下跑。没有第二个人从隔壁房里出来，动静喑哑下来，如烛火为强风所湮。说来奇怪，因这一股动乱，我满怀失落反而稍加释然。于是，我回房间拿取烟与火，向那扇吞噬卫苇身影的大门走去。

我久未在凌晨外出，乍感之下，不免为四处残存的寒意惊讶。月亮已从中天倾斜，暗扣似的别在暗褐色的幕布上。郊野虽无楼障与光藓，但这日天空晦昧，星辰都借宿在低处的云烟背后。在一片崎岖的树影下，卫苇瑟瑟站立。丝质的吊带睡裙很鲜亮，把她身体精巧的弧线勒得分明，也许是她为此行特意准备的。只是当着眼下氛围，女性肉体罩在一种惨淡的白光里，也无魅力可言。卫苇早就望见了我，但一直到我小跑至她面前，才凝神向我投一眼。她仿佛知道我要说什么，知道横亘在他们之间的问题已被我察觉，末了凄然一笑。

　　"对不起，被你看到这种丑态。"卫苇说。

　　"抽烟吗？"我按下打火机，眼见幽暗的火钻进烟草之中，抬手时一粒红星在半空中滑动。待她吐了几口烟圈，我感到自己应该说些什么，便模糊地开口，"我和家祯认识这么多年，他表面上贪玩，其实心里最拎得清不过，不会真有什么事情的。"

　　"你不明白，这根本不公平。"卫苇说着红了眼眶，眼泪顺着她微微凹陷的面颊滚落，像黑夜里某种草露。"我跟他闹过好几次了，他完全不当回事，反而怪我小心眼。你猜他怎么说，世界上什么人都有，避是避不过来的，既然都是朋友就得好好相处。我也知道不会出事，我就是气

161

不过，她这种人最可恨，自己什么都有，就想着侵占别人的东西，从刺激里图点乐趣。你说傻不傻，男人们都看不穿这些小伎俩。"

"她没什么恶意的。"我轻声说。

"你别向着她了，她当然有！"卫苇急躁地说，"只不过你也是男人，她的恶意对你没有伤害。你也感受不到，她在蔑视我。"

"不是我向着她，其实她也是一个可怜人，你和她比强多了……"我解释道。

卫苇冷笑起来——事后回想，当时触动我的并非她的挑衅，或她对我的不信任，不是一类东西。她明显地失望下去，露出一副自我弃绝的样子。鬼使神差地，我忍不住透露了 Lou 的身世。一开始只谨慎地提述几句，为了阐释清楚，不由得越讲越多，最后乃至全盘托出。那时我一心所想的，只是消除她们之间的误会。我让卫苇不要担心，Lou 不可能对罗家祯有什么爱慕；同时也指望，卫苇能因 Lou 的遭际而谦让她一些。

卫苇边听边瞪大眼睛，好像一个新近死亡的人被巫术猛地唤醒。由于别墅地势临水，纤冷的风自丛林外钻来。卫苇聚精会神地听着，她的手臂被冻得起鸡皮，而她浑然不觉。她像在听一个匪夷所思的故事，可接着却哈哈大笑，不一会儿面色又凝重了。她的情绪飞速变化，我一边说话，一边生出一种恐惧，剧烈的心跳直提至喉咙口——但在那时候，已经无法停下了。

事情不知不觉就发生了：旅行结束后，Lou 又一次从朋友群里失踪。不过这一回，她的行踪倒无人问津。有一次在学校里遇见丁浩，我试探问他，Lou 最近去哪里了。丁浩爽朗地笑了，她的老底被揭穿啦，还怎么混下去。他又说，明磊你真老实，所有人都知道了，就你消息不灵通。

我的额角渗出汗水，细密而痛苦的液体，发烫时好似针扎。整个七月，接踵而至的八月，这种难耐的症状不期便爆发。好几次在课堂交流的中途，我猝然失语，脸被浸得湿漉漉一块。论文也毫无进展，连导师都写邮件，敦促我去医院做检查。然而，就我的体感而言，好像只是那年夏天特别热，以致我有些神志不清。到秋天时，周围已经没什么人谈论 Lou，我渐渐也就把她忘了。

那年的一战停战日逢礼拜四，校历照旧放假一日。前一天晚上，罗家祯拉我到第二区蒙马特大道的餐吧欢庆，说是要聚众献上一份"中国友爱"。气候转凉，卫苇穿着尚未装上狐狸毛领的皮衣，格外光彩照人，进门时甚至有法国人吹起口哨。一坐下来，朋友们紧锣密鼓地点上栗子泥、蓝莓果酱、欧石楠公鸡、尼斯焖菜，一盘算仍不够尽兴，罗家祯又按人头点了烤羊排。酒自然不可少，也挑了平时很少喝的昂贵品类。几杯下去，体内的诚挚似蚌壳打开，朋友纷纷吐起苦水，也有的说起将来毕业以后的打算。罗家祯说，刚念医学院时，成天以治病救人为理想，把医生当成多神圣的职业；现在早就脱敏了，死生无常。

我无甚酒兴，稍喝一杯，混在嬉笑的人群中不语。我们的位置靠着窗户，可望见街对面的蜡像商店，再往前五米是人流窜涌的餐吧正门。我隔窗闲望一阵，越到夜晚，路上行人反而越多。对面橱窗里摆着一具女仆蜡像，黑发蓬松，头戴扇形软帽，面孔黄里透红，好像是一个黄种人——她正和我一同望着街道。两个法国男人正搂着一个女人从她面前走过，那女人脚蹬十多公分的高跟鞋，走起路来却毫不费力。女人笑个不停，直起腰后，随意往男人们的身上靠。三人一拐弯，推开餐吧的门，把门上的紫罗兰风铃弄得叮当作响。

我早就怀疑此人是旧日相识，待那女人卸下衣帽入座，我惊诧地发现那竟是 Lou。顺着我莽直的视线，其余朋友也看见了她。才小半年不见，Lou 完全变了副模样。大概与她那天的穿着有关：一身黑色紧身连衣裙，胸部与腿都露出大半，叫人看得生冷。我们两桌离得很近，朋友们多少为这意外重逢而错愕，瞬间一片沉默，连呼吸声都收得干干净净。

　　倒是卫苇先反应过来，她猛然站起来，抄起大半杯红葡萄酒，快步过去。我们还不知怎么回事，卫苇已一扬小臂，难得点了的好酒，全部泼在 Lou 脸上。Lou 尖叫一声，她裸露的脖颈被染成绛紫色，两侧碎发滴着水。她的同伴们也被唬得愣住了，大概以为不便参与女孩间的纷争，只低头擦飞溅在自己身上的液体。Lou 用手捋掉睫毛上的酒水，睁开眼睛，盯着卫苇望几秒。Lou 的一个同伴回过神来，小声劝说她快点离开，见她木讷地坐着，就自顾自地架起她往外拖。Lou 也没有反抗，只是双眼始终牢牢固定在卫苇脸上，像一支目标分外清晰的利箭。临出门时，她露出一种极为甜美的笑——那便是她留给我们的最后影像。

　　我弄明白卫苇与 Lou 那场恶战的由来，已是好多年后的事情了。亏得罗家祯一时高兴说漏嘴，真相到底现了面目。原来，Lou 消失的那段日子，唯独与罗家祯还有联系，两人甚至睡过一次——确切地说，属于嫖，事后罗家祯付了 300 法郎给她。Lou 故意叫卫苇知晓此事，光是这挑衅的劲势，足以让卫苇暴跳如雷。至于暗地里，卫苇与罗家祯又闹过什么矛盾，因他们保密工作做得好，当时我们谁也都没看出来。

借款一事，前后拖了一个月有余。有一日凌晨，Lou给我打过两个电话。我睡眠欠佳，每要得一分休憩，就好像从天花上接一滴落下的水，艰难、焦虑重重。因此，夜晚往往将手机调至静音，好保全无人打扰的寂静。读到Lou的未接来电，已是次日早晨，因匆忙赶去单位，便也徒留手机里亮着红点的记录。

待这事再度浮上议程，我想到罗家祯。他毕竟对Lou了解更多，踌躇一番，还是同他联络了。罗家祯接起电话，大口喘气，一边咄咄埋怨说，明磊，我刚从手术台下来，二十个小时没睡了，一般人电话我不接的。我一意记挂Lou的事情，烦闷不堪，也无力与罗家祯戏言。于是，径直把与Lou见面的过程讲给他听。他半晌不说话，不久又长叹了一口气。他说，这事情有点古怪，你看到过她儿子的照片吗？说不定是假的呢。如果真的情急，她为什么阻止你告诉我们？她为什么不向我们来借呢？我一时发愣，张口结舌。罗家祯听我久久无言，又补充说，明磊，你知道我的。我一向不喜欢讲别人坏话，但是……这女人就是一个婊子啊，你怎么还去管她的闲事。

大约两星期以后，我在园区的办公楼下遇见Lou。她新烫了头发，用镶贝母的发夹盘起，松松垮垮，几缕碎发衬在夸张的棋盘格耳环后面。她化妆似乎有点用力过猛，经太阳一晒，白皙的粉愈发具有颗粒感，沿皮肤粗粝之处干裂开来。那天有些小风，把她一身红裙吹得飘飘然，裙摆在她小腿上乱挠，好像烈火啃噬她的肢体。说来羞愧，我见到她着实吃了一惊，尽管如此，我迅速修整了心态，若无其事地同她问好。

"哎，你想来应该提前跟我说一声，我去门口接你，省得你买票排队。"我说。

"不用麻烦，我碰巧来逛世博会，想着看看你。"Lou话音轻柔，好像和她过去全然不同，但说到底，我对她昔日的形象也记得不真切了。她问我，"最近还好吗？"

"除了单位忙，其他都好。"我转念一想，或许她是侧面问我借款的进度，于心不安，就闪烁其词地解释，"上次的事情，我和爱人谈过了。我们自己每月要还上万房贷，老丈人重度痴呆，住在护理院里，开销像火烧一样。你看这样行吗，我们凑个两万给你，多少可以支撑一阵，你也不必还的……实在抱歉了。"

"没事的，他上周已经去世了。"Lou的面目镇定、自然，甚至看不出克制的痕迹。

"太可惜了，节哀。"我说。

"没事的。"她点点头。

167

"接下来打算怎么办？"我问。

"不知道，我想还是要回去的。"

她兀然伸手，与我一握，一枚带锈迹的戒指磨得我生疼。接着，她转过身，往密匝人流之中溯洄而去。风势又增了两三分，絮状高积云卷到天空中央，眼看将有雷雨驾临。那条长裙艳红的雪纺料子不禁乱颤，她娇小的身躯隐没其中，翚翚朝上方拔挺，就像一把舞扇的竹柄。

我一路目送她，任凭无法挽回的距离在我们之间发生。倘若她不是如此急切要走，我或许会问她，她准备回哪里；在无尽的重置之间，她是否真能找到一种斡旋的方式，以便客居于得体的生活。可没过多久，我又庆幸她及时离开，避去这些多余的盘问——她终究是聪明的。她的形影，也从来都是引人注目的。只是眼下，她已走远，褪得那样小，无异于从回忆里生出的一粒红色靶心。

V

圆周定律

上海

圆周定律

1

二零一四年的春天，我本科毕业不久，入职一家律师事务所。

抽屉里摆着绿封面的法律从业资格证，闲时常取出，翻望出神。工作则从实习律师做起，带教的是一位年长十岁的女律师，姓陈。她几乎把办公室装扮成一个多肉植物园，我由此短暂记住过星美人、胧月、熊童子之类的名字，但很快也就忘了。

那年春天潮湿而绵长，雾涨潮似的漫上来。看不见的微生物在各处急躁地逡巡，柳絮融融，绿波间落下一场松盈的白日梦。这时节尚未轮到空调登场，室内闷热难忍，办公室的落地窗不时凝结水雾。刮开雾层，可望见对面四季酒店顶楼的游泳池。偶尔有人从水里钻出来，在泳池边坐一下午，落落寡欢的样貌。那时我写一些小说，但写得不好，举步维艰。我从那个春天里汲取不少灵感，偷偷写了几个开头，藏在一个命名为"一号案件"的文件夹里。其中有一则开头是：张三死在四季酒店，而现在是春季。

就在春季收尾期的一个周六早晨，我被一通电话吵醒。来者是诉讼团队的领导，过去在一家民营公司当法务总监，业绩断流之后，识时务者也换了工作，在事务所成为焕然一新的李律师。

回到房间，只见雨水已消停，屋檐边闪着潮湿的光线。

男朋友恰好也醒了。本科毕业以后，他父亲卖掉了沿海小镇的房产，贷款置入上海郊区的一套四十平米的小房子。父亲在当地找了一份保安工作，三班倒换，看守一家钢铁冶炼厂的仓库。他母亲从来行踪不定，拖欠百万赌债，到处流亡。偶尔因赌博进监狱，反倒是最安全的时刻。我每周末去郊外看他，我们把整个小镇逛得烂熟，有一天捡了一只白猫。

"谁啊？"他问。

"单位领导，说下个月让我去北京开庭。"我说。

"你不是刚实习吗，还不能当诉讼代理人的吧。"他说。

我们同校毕业，他稍长一级，主攻方向是资本市场。作为低年级律师，他只拿最低档收入，做的事情不过是随波逐流。我的专长在知识产权法，但我们很少谈及工作，并非因为业务性质的差异，而是出于厌倦。

"是不能，在旁边翻翻资料也好，总要慢慢开始的嘛。"我说。

"几号开庭？什么样的案子？"他问。

"下个月，一个专利侵权的案子，据说对方当事人是个神经病。"我笑出来。

"怕什么，说不定跟你一个精神病医院出来的。"他也笑了。

猫在外面叫。冬天时抱回家，一路痉挛不止，把它藏在棉外套里仍战栗，仿佛拢了一团叛逆的风。白猫一贯沉默寡言，只有被狗欺负时才叫喊。家里另有一只泰迪，人一进门就热切地迎上去，其他时间几乎都在吃东西。

我打开门，猫已立到桌上，像一具不知由来的奖杯。午餐提前准备好，贡丸、牛丸、香肠、鸡毛菜、米线全都装在电锅里，我们对烹饪的要求，不过是按一下开关。每一顿伙食几乎雷同，因此我们常去外面吃，但镇上也无非那几家商铺。

斜对面有一家杂货店，店主夫妇看上去都年逾七十，一对灰喜鹊似的奄拉在十几平米的店面里。我们每周去买水，后来图方便网购了一番，偶然再回到店里，老太太面带歉意，说小姑娘好久没来了。我们的内疚也莫名其妙被唤起，编了理由说很久没回来，又买了些并不需要的东西。

"你听过圆周定律吗？"走在路上，我问他。

"你是说圆周角定理吧，一条弧所对圆周角等于它所对圆心角的一半？"他中学理科很好，稍一迟疑，仿佛在用镊子把它从诸多回忆里挑出来。

我一时接不上话，在心中辨别圆周角和圆心角的区别，听上去像个字谜游戏。我很快放弃了，对他直言不讳，"北京那个案子，对方当事人号称发明了六条圆周定律，结论是反牛顿力学定律的。"

"真的吗？说不定是个天才。"他笑出来。

"可能是吧，那我们就要输了。"我说。

"你小时候幻想过自己是天才吗？就是……觉得自己与众不同，周围都是低智动物，除了制造嘈杂什么都不会。你是唯一清醒的，作为天才，你肩负着一种难以言喻的义务。"他问。

我被他逗笑，又猛地察觉到话题背后的严肃性——那种原始、微妙的挣扎，有些提问并不求解，它靠存在本身来诠释意义。

"没有吧。我从小喜欢往人群里躲，出众正是我最害怕的事，可能我就是个很无聊的人。"我如实说。

我们本来只想走一遍滚瓜烂熟的路线，可春风飘涌，把遥远的气息运过来。我提议到隔壁一个更繁华的镇上散步，他也有此意。我们绕一个与小镇同名的公园走，打算去正门坐公交车。时令变换，冬天时我们路过同一处地方，可以隔着枯枝眺望湖面上的冰，但现在榆柳荡衍开的体态使公园密不透风。小孩子尽情尖叫，尚不知道几年后自己会失去这高亢的声调。风筝在不成章法的拉扯中一一扬起，如上下颠倒的帆船驶于云海之间。

男朋友忽然拉起我的手，一路飞奔起来。

"快跑，八路来了！八路来了！"他说。

我远远望见要搭乘的公共汽车，铁皮壳掉过一些漆，前方镶了兽眼般暧昧不明的车灯，再往上是 LED 打出来"宝山 8 路"。我大笑说，你这口气像电视剧里的汉奸。他也意识到了这一点，我们边剧烈喘气边大步跑着，往春日长韵里呼入发痒的气体。

那是我们在一起的第五年，距离我们日后分手，大约还有七个月左右。

2

延安中路上有一处绿地，千禧年以后便横卧进人们闲游的选项之中。有人说占地十亩，有人说不过一个几排房的旧小区那么大。城市的地域具有收缩性，是人们感受之间的落差塑造了魔幻。由于绿地全凭人造，一年四季都供应恰如其分的景致。野鸟偶尔也来，飞行痕迹把溪流切出不成章法的几块，行人则迷失于细微的变化之中。

那时李律师还没瘦下来，每天中午去延中绿地散步，权当锻炼。有一天，他气喘吁吁回来，告诉我们，樱花开了，但阵雨摧折了一些，地上都是花瓣片。

律所的人事刘婷，正在跟我讲她的新男朋友，一个曾来律所面试过专利代理人的男孩，但因工资谈不拢而未能入职。来龙去脉还没说清楚，李律师像一阵风卷进办公室，我们也就散开了。

"小李，案子研究得怎么样了？"李律师笑眯眯地问。闲聊式的开场，我暗想他并非真的在询问我的进展，只是对上班聊天的一种温和警示。

"陈律师让我找一些案例，已经发给她了。"我说。

"你自己有什么想法吗？取之上者得其中，你不能只以律师助理的标准来要求自己。"李律师说。

我抬头看他，他四十不到，长相如实描述年龄。他皱着眉，因为近视的缘故习惯性眯起眼睛。衬衫的左侧有一块潮湿的痕迹，不知是汗还是雨。

入职第一天，李律师曾问我，你认为一个律师最重要的是什么？他神态严肃，似乎正手握一把通往神秘地窖的钥匙，但在交付我之前，要先从我口中得到一个错误的答案。我思索半天说，大概是临场应变的能力。他摇头，又指引说，一个律师最重要的事，是保守秘密。

这个答案厚重、玄妙，作为谜底，它本身又构成多棱的谜面。很长一段时间里，我都奉为至理。即是珍视从前辈处无意取得的锦囊，又贪图作为守护者本身的虚荣。多年以后，当我的经验库累积更多的无用碎片后，这个答案最初的光环早已锈蚀。原来问题是一种镜像载体，李律师答"保守秘密"，只因为他就是那样的品性——过于迷信秘密，指望利用它们来达成一些翻天覆地的效果，黑暗力量也回赠反噬：对于秘密被刺探的恐惧。这个答案恰恰证明，他还处于从前法务主管的状态。

下午三四点，陈律师出庭回来。她把头发挽成髻，代表庄严的黑色从西装淌到皮鞋。若不是她戴着蓝水滴耳环，我甚至以为她刚从葬礼回来。水元素的建议来自李律师，有一阵他自诩学会命理与卜筮，一番摆弄，断言陈律师命字属水，但五行缺水。陈律师忙打听补救的办法，李律师一思忖，说，多佩戴蓝色元素——一种源于交感巫术的逻辑。

李律师也替我占卜过，五行属金，他自己则属木。三人简浅的日常关系之余，又被命运横添一道关联。我对于命运从无明晰的立场，浮在河流上的人最惬意。直到几年后，我在云贵一带爬坡，望见漫山遍野的菁草，一种迟来的质疑突然赶上了我：万物美得何其自在，让它们来推断人类命运，不免荒谬又苛刻。

我们三人坐在会议室里，正式讨论北京的案子。陈律师已收集不少资料，方案也备了几套。不出意外的话，先去专利复审委提出无效宣告请求，同时申请中止北京三中院的庭审，这是最妥帖的诉讼策略。

"你说任天时会不会当庭杀人啊？"陈律师半开玩笑地问。任天时是对方当事人，凭着一纸发明专利，起诉驰名汽车业的 B 品牌。

"人家是科学家，怎么可能做杀人犯法的事？"李律师故意把重音放在"科学家"上。

"哎，一个木匠出身的民科发明人，无非就是想弄点动静吓唬人。"陈律师喜欢说"哎"，但不是真的叹息，似乎是她自己设置的一种停顿节奏。

"木匠怎么啦,你家里做橱柜不要叫木匠来的吗?"李律师说。

"对呀,干一行爱一行,一个木匠跑去研究什么新型汽车、液态轮胎,能成功我名字倒着写。"陈律师忿忿不平。

"倒着写怎么写啊,你能姓'娟'吗?"李律师说。

"我又不是说这个,我快忙死了。哎,不要说这些有的没的。"陈律师说。

"少娟,你这个人啊,就是阶级观念太强。"李律师端起茶杯,眯眼将龙井泡沫往边缘吹开,像个问诊间隙稍作休息的老中医。

讲到后面,他们自己都有些不知所云。我悄悄按亮手机屏幕,没人给我发消息,时间以一个静态数字的形式凝视我。屏幕暗下来,浮出一张疲倦的脸,长发,戴黑框眼镜,嘴角紧绷,尽量模仿一种职业性的神态但并不成功。

而那就是当时的我。

3

机缘巧合,我搜到了任天时的博客。页面以蓝白为基调,顶端背景图配了一辆正在高速公路上趋驰的汽车,远方的灌木林与炊烟陷入虚焦，衬得苹果绿车体如一支闪亮利箭。博客里显示有三十四篇文章，但多数经过加密，可见的不足十篇。

置顶的一篇题为《救世主重降人间》：

救世主紧迫呼吁：

人类从未如此堕落！世界从未如此污秽！

地球环境日益恶化！全球各国束手无策！《京都议定书》几十年实现不了！《联合国气候变化框架公约》《巴黎协定》拿不出任何方法！但任天时发明的《圆周定律》可以拯救人类于水火！……

通篇感叹号，几十根切分音律的指挥棒。在博文的最底部，任天时留了一个邮箱，寻求能帮他推广发明的有志之士。

还有一篇《人类最后的赎罪机会》，从能量守恒定律写到地球磁极颠倒，恐龙化石、土星蚌壳、力差能源、诺亚飞舟计划（任天时自己命名的救世计划），种种新鲜名词缭乱地滚屏。在这篇文章里，任天时指责人类"思想僵化、情感冷漠、拒绝真理"，并回应了他人对其"狂妄"的批评，他解释说，当他进行重大发明思考时，他必须目空一切，狂妄程度与发明程度成正比，这是一种天才式的迷狂。

另有一些零散的收录，"光绪年间的宫廷偏方""祖母菜谱：杂胡椒""气功入门十奥义"。最神秘的一篇叫《圆周定律》，是任天时花了十一年时间研究出的六条定律，他所有的发明都以此为基础。我看了开篇的演算，中文里夹杂着含义不明的希腊字母，读几遍都抓不住重点。只好对着屏幕发愣，不久，就顺着上涌的困意知难而退。

那段时间，我们还经手另一个案子，涉及眼镜品牌的商标侵权。为了证明客户在长三角一带极富影响力，我和陈律师跑遍各个档案馆、工商局、材料中心。

我们出行几乎都靠地铁。非高峰时期，人流冷淡而疏松，找座位并不难。我坐下，背靠塑料椅垫，然后逐一察看周围的人，从衣角的线头、单肩包上微锈的五金、两边系得不一样的鞋带推断他们的生活。所有人都相信真相隐藏在细节之中，但正是因此，利用细节散播谎言也难以被拆穿。

"北京一家五星级酒店有故宫主题的下午茶，离网红花店也很近，如果时间来得及，我们过去看看。"陈律师说，此时距开庭还有近两周。

"好啊，陈律师真文艺。"我说。

陈律师低头笑了，是那种适合圆脸的柔顺的笑，又带一些羞赧，仿佛提前为自己的愿望将妨碍他人而道歉。她一边打开一款消消乐游戏，这在当时很流行，地铁里尤其常见。

"哎，我和你说，我大学毕业在杭州工作，租了一张寝室床铺。我有个室友才叫文艺，我们周末去郊外爬山，她知道每一种花草的名字。杭州很适合生活，春秋多雨，绕西湖走好像能把水汽握在手里。夏天满池荷花，从苏堤过能望见远处山的影子，若有若无……"

"但还是来了上海。"我说。

"很多变化根本说不准，也不按人的意愿来。"陈律师仍然盯着屏幕中的消消乐游戏，手却停滞了几秒，又说，"其实我在杭州的时候，还写过诗，现在灵感彻底枯竭了。"

我惊叹一声，问她去哪里可以读到，她摇头说找不到了，只记得写的是秋天登山的景致。她补充说："所以啊，你要趁年轻多玩几年，工作什么的可以慢慢来。最近还写小说吗？"

"没有，写不出来。"我说。

那几年我确实写得少，一年最多一两万字成品。当时正尝试写一个短故事，讲一个男人陪老板出差，在直升机里变异成一只巨型长颈鹿，他觉得飞机里闷得慌，和老板周旋许久，老板终于同意把机舱开一条缝，好让他将头伸出去透气。终于，油画似的淬光云幞、因遥远距离而微缩的松林、对流层里停滞的飞鸟，他看到想见的一切，便在自由中舒展起脖子。就在这时，他的头被直升飞机的螺旋桨切断了。

我无法口述这样的故事，怕对方问为什么。

"哎，这一关好像过不了了。"陈律师悻悻放下手机。几站下来，她还在和同一个消消乐关卡角力。

我安慰她，消消乐主要靠系统布局，有些先天格局差，怎么走都通向死局。但无论如何，你自己还能选择走哪些步数，能在无常之中拥有一些微不足道的权限。重要的正是这些。

当天，我们往黄浦公证处去。

大楼立在苏州河畔，青灰斑渍使外墙显得不均匀，仿佛那些抱有破坏意图的微生物本身也有所偏心。有时我一个人来，并不急着上楼，就去河边站着。这一段苏州河行船很少，我从未见过，只有风从空荡荡的桥洞里捋来。

合作的公证员姓沈，比我大两岁，接洽时总举止冷淡，唯恐我们提出额外的要求。后来加到了他QQ，名字叫"电眼娃娃"，才知道棱镜有许多面。

临走时，小沈说下午有大雾橙色预警。春天免不了这些暧昧不明。

4

那时京沪高铁还没提速，单程至少五个小时。自南向北，火车在半个中国之间切出一条虚线。同行一共四人，除了我和陈律师，还有案源人、B公司的法务。陈律师一路都在起草一份《股东合作协议书》，案源人与客户闲聊，交换一些在家庭之中不宜流露的轻微埋怨。我往窗外神游，沿线景物多有雷同，但那些迅速向后摊散的苍与绿，赋予流景一种迷幻的开放性。昏聩欲睡时，后座儿童的哭声在半梦中落成阵雨。

抵达北京已近黄昏。邮箱不断送来工作，陈律师只好先带我回酒店。我想替她分担一些，但她似乎从来不忍心多分配工作。有一次她向我道歉，说她是很自我的人，交出去的东西只有自己完成才放心，因此给我布置的工作很少，这对我的职业规划并无帮助。

好些年里，我听各种各样的人描述过自己，没有一个是准确的。

我们八点才下楼，晚饭的兴致都耗尽了，随便走进一家火锅店。陈律师点了一桌菜，牛羊肉、酥肉、虾滑、牛百叶、蔬菜拼盘、炸豆皮、宽粉、麻酱糖饼，似要弥补落空的期待。适逢晚餐与宵夜的间隙，店里人不多，一个没穿制服的中年男人来给我们点火，像是老板。

"不知道客户吃了什么，本来还能一起吃。"我一边搅拌酱料一边说。

"哎，你没有看出来吗，案源人不想我们和客户太亲密。她要从每个案子里提成的，万一客户为了省钱，跳过她直接来找我们，就不好了。"陈律师说，把一盘肉倒进锅里。

"一般不好意思这样吧，以后还怎么相处……"我说。

"这种事情太多了，最后大家都能当没发生过。"陈律师摇头，不像否定评判，倒是一种不在乎。她又说："我不管这些事，我们只要把自己的事做好就行了。"

手机不断震动，是刘婷发来的消息。先问我到北京了吗，又问怎么算粗俗。这两个问题跨度太大，弄得我有些不知所措。我挑了怪异的问题回答，心想，寻常的那个只是用来寒暄的烟雾弹。我回复说，通常说优雅，大概就是不追求超过能力范畴的东西，粗俗则完全相反。刘婷立刻问，什么意思啊？我正想跟她解释，只见接二连三的信息蹦出来，大意说男朋友总嫌她粗俗，语带轻视。她被这根刺拨弄多次，那天终于爆发出来。他们大吵一架，刘婷提了分手，把男孩拉进了黑名单。

我不太擅长应对歇斯底里的情绪，哪怕情有可原。只好简短回复几句，但刘婷根本不在乎我如何回应，只是机枪扫射似的把话说出来。刘婷说，我对他那么好，情人节送了他 Tommy Hilfiger 的衬衫，给他妈妈买过藏红花。他的简历也是我改的，一个美国留学回来的人，什么都不会弄，还一直对我挑三拣四。追我的人多多少少，我都拒绝了，偏偏跟他在一起。你知道吗，他家里的房子在闵行，又不算市中心。上海人有什么了不起的，谁稀罕。

一句，一句，满屏幕都是她的语无伦次。等我和陈律师吃完回去，又收到刘婷的消息，说，我好难过哦，我一直在哭，停不下来。我尝试在聊天框里输入一些字，又删去，最终只发了一个拥抱的表情。

午夜延进酒店房间，另一张床上，陈律师已经入睡，仿佛一艘幸运的船准时抵达黄金口岸。而我仍在黑暗的涡流中打颤，晕眩、失焦。假如没有屋顶，这个时节可在天顶偏北处望见北斗七星，勺柄四星相连，弧线直抵牧夫座的大角星——春季星空暧昧未醒，大角星排得上全天第四亮的星。但圆弧形的天空被黑色天花板遮蔽了，不是常规的黑，而是暗，人即将失明时看见的那一层浓厚色彩。

我想起中学时，在南汇郊边一个渔港学农。夜晚，我们从基地偷偷爬出去，踩在无声的湿绿上。满地野植与荒石，黄昏煽起凉意之前，我们在田里开垦，戏弄与我们手掌并不吻合的工具。也辨认各种蔬菜，水芹、鸡毛菜、油麦菜、塌窠菜、雪里蕻、韭菜、卷心菜，有一些名称似乎只在方言中存在，我们跟当地农民敷衍地念几遍，一心只想着夜晚降临后去海边。学农为期一周，我们从未到过海边，至少并未以视觉的方式抵达。空气里弥漫着咸腥的气味，有海藻浮涌、水母翻身的错杂声响，浪与风合奏赋格曲。在那些时候，冒险之念烧到了尽头。我们抬头看见星空——一生之中再未有那样的时刻，夏日将尽，璀璨银河如一条掌控权威的巨蟒。渔港边灯火稀疏，星星供应着所有的光。那大约是二零零六年的事情。

贫乏的人生中，孤独进攻过无数次，有时赤裸凶悍，有时裹以糖衣。但在那些年里，我不再向人叙述孤独，这个词语似被囚禁在一个永不折返的时空里。因为我已然明白，很多东西说出来也无济于事，对消除孤独抱有期待是幼稚的。

当时我想的是这些，可回过头去看才发现，二零一四年的我那么年轻，甚至还拥有那么多任意犯错的机会。

5

第二天，任天时并未出庭。

出乎我的预料，职业生涯的第一次开庭进行得如此顺利。我们递交中止庭审的申请书，在被告缺席审理的状况下，法官当庭批准。

下午，我们往中国专利局送去宣告无效的材料。我领了一张号码——蓝色的蚁字爬在热敏纸上，一张微小的通行证，一片可以暂时止疼的楮树叶。大厅里，气温比外面低一些，各式各样的人在等待。每个窗口都窸窣作响，纸张滑过隔板，进入自己的命运。外层有一些金属座椅，我轻轻摩挲冰凉的椅面，把手指放入椅孔中如恶作剧。每天，这个大厅中有数百人流动，或许别人也做过同样的事。就是这里——对我们而言遥不可及的地方，许多次我打电话过来，辗转几条线路，想咨询的问题终究悬而未决。

娱乐或许只是白日梦，陈律师从未真的指望吃下午茶。我们赶到火车站，一道道安检过滤掉我们的危险成分，距离开车还有五分钟。在漫长的归途上，按陈律师的嘱咐，我写了一封邮件给任天时。大意说，我们已经采取了相应的行动，但基于对专利权的尊重，愿意付一定金额，达成庭外和解。客户的底线是不能高于十万，比任天时起诉的赔款低二百九十万。

我们也向李律师汇报这个案子，在会议室里，卷宗摊了满桌。

"你说他会答应吗？"李律师淡淡一问，似乎对结论并不在意。

"我怎么知道，我又不是他。换我肯定答应了，一个江湖郎中，能骗十万还不见好就收？"陈律师说。

"你这么有钱，还差十万吗？"李律师开始调侃，意味着会议临近结束。

"差呀，我三十块一顿午饭都要犹豫一下呢。"陈律师故作气愤地说。

讲完案件，李律师留我下来继续会谈。李律师的风格一贯如此，以人造的神秘感拉开下属之间的距离。这是我进律所的第三个月，类似的谈话已进行过几次。

"办公室氛围还习惯吗？"李律师眯着眼睛开场。

"大家都很好。"我说。

"你觉得陈律师人怎么样？"李律师问。

"好人，很正直。"我说。

"郭律师呢，有什么看法？"又问起合作过的一个专利律师。

"总体来说很务实，但有时优越感让他疏于细节。"话一出口就为刻薄而后悔，郭律师实际上很有能力，于是开玩笑说，"郭律师老婆很漂亮。"

"刘婷呢？"李律师点头，并未被玩笑所打动。

"轻率。"我想了想说。

李律师面不改色，但很明显他对我的评价很感兴趣，追问轻率具体是什么意思。

"她是个特质非常强的人，轻快、自恋、心软。这样的人没什么长远计划，容易把事情看得太重，会为一点风吹草动树起防御，沉不住气。"当时我只急于表达自己的观点，并不在乎用语的分量轻重，也没想过评价同事的后果。

"有什么具体事例吗？"

"没有，只是感觉。"

"我同意。"沉默之后，李律师应了一句，又问，"你最近在写小说吗？"

"我不写了，工作排第一位。"我说。

"那怎么行，我还等着你给我在小说里安排一个角色呢。"

尽管这样说，李律师却露出一脸很高兴的模样。

6

年初时收到一本日历，每日一页，印有各种警句。有时忙起来，好几天都忘记撕，就在心血来潮时一下子撕完。再次想起任天时，距北京开庭回来已隔了八张日历纸。我接连撕下来，只见最后一张上写着：

> 唯有不抱希望爱着他的那个人才了解他。
>
> ——本雅明《弧光灯》

前一周发给任天时的邮件石沉大海，而新的工作流量涌上来，冲淡了他的存在。

当时我正在写一份尽调报告，这个熟悉的名字浮上来时，我顺手将其打在文档的下一段。放大，缩小，调成各种字体，像一场结果未知的实验。光标在字符右侧闪烁，它囊括了各种暗示，重复、开始与终止、时光流逝。

那个奇异的想法突然冒出来了——它从前出现过，在我第一次看到任天时邮箱的时候，我就想过给他写邮件，以一个普通网友的身份。只不过受制于懒惰与理性，这个想法最终堆在了大脑中的废弃仓库里。此刻，它带着一种不可忽视的诱惑力卷土重来。

趁午休间隙，我再次打开邮箱，用新身份发送了一封邮件。

任老师：

你好！自北京开庭已有一周余，你没有来。北方很干燥，过去我只听旁人谈起，加以想象并应和，但等我亲身去了以后，才明白"干燥"确切的体感。我在半夜醒过多次，喉咙像有个被枪击过后的灼烧口，喝水也没什么用，不过是一种虚妄的需求。只是北京的春天很好，门外绿杨风后絮，说的就是当时场景。日光利落得出奇，不像我们这里，物候常挟带蚀骨阴柔。

我再次给你写邮件，想说的不再是庭外和解——你一定也知道，这只是一个程序，法官喜欢和解结案，这样有益于他们的考核。许多事情都不那么真实，但因为它不重要，所以我们愿意接受看上去光明的话术，反正本来也要做的。之所以写邮件给你，是想对你进行一次人物专访。

工作之余，我写一些小说、访谈，也出过书（见附件）。对于你的生活，我很好奇——我希望"好奇"不至于显得太冒昧，你是一个很特别的人，在日常生

圆周定律

活中非常稀有。另外还有一些私人原因，我个性平淡，对充满激情的人总是羡慕，很想了解你是带着怎样的心情去研究发明，在几乎没有经济获利的情况下。

我看过你的博客，使我惊奇的并非那些晦涩的物理原理（实话说，我没有看懂），而是你执著的坚持。身处一个悖逆的环境中，仍然始终怀有信心，实在难能可贵。

如果可以的话，请告诉我更多你的故事，你一天怎么过，怎样发明，你的家庭是什么态度，什么都行。

三三

7

街巷愈发浓绿，热与色捻成一条上升的弧线。周六早晨，路上行人惯于懒散。唯独阳光兴致高涨，在楼房、枝叶、工厂烟囱的影子间捕捉行人，将审讯式的热情倾囊泻下。

从男朋友家到市区，要多番辗转。先坐车到一条地铁线路的终点站，经过颠荡，慢慢进入城市的核心区域。每日工作来回令男朋友疲乏，所以周末我们不出远门，与世隔绝也好。那天刘婷组了聚会，约我和另一个同事见她男友。于是我只好独自起床，穿一条短袖连衣裙，匆匆赶往人烟稠密的商场。

三人都比我到得早，我走进约好的咖啡馆，他们正在讲星座相关的话题。刘婷一贯娇嗔，在男友身边更甚。桌上蛋糕吃了三分之二，底座的饼干碎屑散得一片狼藉。

"射手座风评很花的，你是不是谈过很多女朋友！"刘婷作出一副要打男友的姿态。要是再晚几年，我便能辨认这种人造的热情——它出于对一段更深刻的关系的憧憬，某种程度上，不妨看作对平庸的逃避。

"都是认识你以前的事情。"男友笑了，分明对评价很满意。

"这是三三，诉讼部门的律师。他们部门平时很忙的，三三经常搬着比她人还高的材料……"刘婷笑得靠在男友身上，好像她在描述一个喜剧桥段，而搬材料的人是卓别林。

"没有，没有。"我说。倒不是否认她的话，商标与专利的诉讼通常材料不少，好几次都是拖着拉杆箱去开庭的。只是眼下名不副实的戏剧性让我尴尬，我想用否定的句式去弹落身上的灰尘。

"什么星座的？"她男友随口问。

"不是什么重要的星座。"我说。

约见的地点离律所很近，下午便在我们常去的 KTV 消磨。那几年，KTV 处在红利期，开得到处都是。我和许多人唱过歌，有些仅一面之缘。后来厌倦了重复的 MV、掺水的酒、惺惺作态的醉意、丑陋的展示欲，但当时还不知道会有这样的结局。刘婷声线很甜，范晓萱的曲库信手拈来。另一个同事总在推诿，拿到话筒却也不愿放下。包厢环绕着半圈镜子，彩色旋转灯随机将晦暗笼在人脸上，好像坐在一个南方洞穴中，外界久雨未晴。

刘婷男友问起我的恋情，我如实相告，顺便讲起大学生活。法学院的课程相对松弛，因为法律终究指向一种能力，而非知识。对于法学学生而言，重要的是大四那一年通过司法考试。我毫无愧疚地滥用了自由，夜夜在网吧通宵，陪男朋友打一款叫 Dota 的游戏。刘婷男友也打，我们交流了几款英雄。他擅用地卜师，我则多选辅助角色，主要为男朋友提供视野便利。

背景歌声很响，有好几次，我们不得不把嘴唇贴近对方的耳朵。闲聊之际，我问他，你们会长久吗？他含混地笑了，仿佛有什么事秘而不宣，反问我，你说呢？你觉得我们会长久吗？

我推辞了晚饭，尽快回到郊外小镇。地铁在黄昏里行驶，商圈、高楼渐渐被一种荒蛮的力量剥离，取而代之是黯淡的沿街商铺，标准的小镇格局。地铁尽头有一家麦当劳，门口常聚着几个卖烧烤的小贩，男朋友最喜欢买烤面筋。

夜晚散步时，和男朋友说起这一天的琐碎细节。

"刘婷，你们人事吗？你不是不喜欢她嘛。"男朋友问。我们走得很慢，路边有狗，草越来越浓的气味。昏暗中，一个手捧白色桔梗的女人擦过身边。

"也不至于，我没什么不喜欢的人。"我想了想说。

"不知道哪来的印象。"他摇头。

"我只是害怕太热情的人，一旦他们亲近你，就要求你的回馈。你稍微冷淡一些，他们会以为你背叛了友谊。我从小怕这种人，相处起来很累。"我说。

"大部人都不坏，只是愚蠢，而且意志薄弱。"

"是啊，难道我们不是这样吗？"

散步路线仍然是沿着公园，行星适应于自己的轨道。店铺打烊得早，我们在漆黑乱流中趋行，橱窗里冷漠的模特目送我们。也有灯火辉煌之处，是一家娱乐城，借用了城堡的外形，孤零零落在小镇南面。我们路过一幢民房，二楼传来卡拉 OK 的声响，九十年代那种音效。

"这里太落后了。等明年涨工资了，我要去市区租房子住。搞不懂爸爸为什么非要来这里买房，太荒蛮了，只有老人会住。"类似的话,男朋友说过许多次。

"贷款还没还清呢,有钱交房租,不如先还贷款。"我说。

"每天这么忙,一点意义都没有。"他叹气,不是语气沉重的那种,像吹一团蒲公英。

"以后就好了,慢慢都会想通的。"我说。

那天十一点多,突然收到刘婷男友的消息,问我,听说你养猫,是不是喜欢动物?我说,还可以,顺手养的。他问,下周想去动物园吗?我说,有机会再说吧。

8

作家三三:

你好,两封邮件都收到了。

说实话,我从 2004 年就开始打官司,见过的律师不下几百个,那些套话的手段我再清楚不过。律师是最坏的人,他们维护的不是公平正义,而是要确保法律的天平倾向于愿意花钱的人。但我没有钱,如果有钱,我就能一心放在发明上了,也不必打官司。你是作家,我相信你和他们都不一样。真正的作家应该关心人类命运、地球未来,从这个角度来说,我们是同一种人。

我1991年从钟祥市一家油田辞职。一个三十出头的男人放弃稳定工作去搞发明，到底要下多大的决心，没有亲身体验过的人是不会明白的。九〇年代中期，流行下海经商，我和朋友合伙卖过橡胶鞋，投了积蓄，两年就赔完了。这更让我确信，我天生是搞发明的料，不应该虚度在赚钱上——赚钱只是手段，是为了实现更崇高的理想。

二十多年究竟是怎样过去的，好像发生过很多事，却一件也说不上来。你问起我的生活，我也问自己。可是生活真的重要吗？当人的思想从追求自我跳跃到整个人类文明的自由，谁还会在意如何起居？

从1991年到现在，我已经有198项申请专利，其中43项已经得到授权。实际上，我完成的发明有几千项，只是考虑到维持专利要付钱，我没那么多钱，只好挑一些比较重要的去申请。刚开始搞发明时，朋友开玩笑，说我以后要做"钟祥爱迪生"。爱迪生一生也不过完成1000多项发明，其实只要资金足够，我三年就能超越他。

1999年，我无意发现圆周运动的神秘性，一粒电子垂直进入平均磁场，一颗人造卫星升上太空中的轨道，摩天轮、秋千、弯道，万物都在做圆周运动。我认为，所有关于永恒的密码都写在圆周运动里。十多年来，经过上万次测试，我一共总结了十条圆周定律，目前公开的是前六条。我的很多发明也是基于圆周定律，虽然现在应用还很肤浅，但早晚会震惊全世界。到那时候，人类会忏悔自己犯了一个巨大的错误：忽视圆周定律！

很多人对我有意见，认为我说话不够谦虚，但这是情非得已。这些年来，为了推广圆周定律及汽车专利，我一直在奔波呼吁，尽了最大努力，黔驴技穷。我只好把话说得夸张一些，希望能引起社会各方面的重视。在国家和人类的利益前，我根本不在乎别人怎么评论我。

附件是我和一个记者的访谈录音（仅存片段，一部分遗失），录制于十年前。当时刚开始打官司，第一次被采访，你可以听一听。

任天时

附件：

……

记者（干笑）：你觉得这个目的达到了吗？

任天时：怎么没有，全球至少20亿人直接或间接受到我发明的好处。

记：但有人说你是疯子。

任（突然激动）：谁？他们凭什么？我的专利全国有几千家公司在用，只要有一家判下来，我就是个百万富翁，到时候看谁还落井下石。

记：但目前你非但没成富翁，连饭都吃不饱？

任（沉默）：我有很多朋友，不担心吃饭的事情。我现在住在朋友的房子里，他们送我手机、空调，空调我不开，因为电费太贵了。我还有民政局的低保补贴，每个月60元……虽然我很穷，但有很多人支持我的事业。

记：听说你还欠了很多债？

任：嗯，大概二十万左右，是十年里欠下来的。

记：你有能力还吗？

任（声调变高）：我怎么没有能力？总有目光长远的人，他们不在乎千把块钱，他们知道我以后能带去更多利益。我不会让他们失望的，有一天我要好好谢谢他们。

记：离婚，是你妻子提的吗？

任：是的，她不提我也要提。她不理解我，说我只会吹牛。这种蠢女人满脑子只有钱，没法过日子。

记：你和孩子还有联系吗？

任（再次沉默）：联系不多，主要是没时间。我儿子上三年级，有一次他跟我讲，爸爸，我们语文考试的作文题是《谁是我最敬佩的人》，我们班上好几个同学写的是您，说您是发明天才。不过他没有写我，好像写了一个外国人，我不知道，他心里敬佩的可能还是我。

记：现在妻离子散，你后悔过吗？

任：我从来不后悔！他们离开我，是他们没眼光。我是一个注定要为伟大事业献身的人，我的命运已经天定了，但我也不怪他们。

……

9

等我终于看见那张与慷慨陈词匹配的脸，五年已从空轴上划过。

案子归档多时，期待、假想、多余情绪，但凡抽象之物都随时间凋敝。变故来临又消失，蛀空一度确信的结论，徒留手捧蜂窝茫然失措的人。

偶然一念间，我想到最初经手的任天时案件，突然好奇他的境况，便去搜索他的信息。我在百度知道上搜到一则提问，"发明狂人任天时走出窘境了吗"，没有任何回答。又找到一些早年的采访，过去竟未察觉。其中有一张是任天时的照片：他站在一间逼仄的房间里，穿一件白背心，脖子上挂着白色的毛巾，似用来随手擦汗。写字台紧靠他的腰部，上面摆满铅笔、尺规、量角器，我们中学时常用的工具。他的脸照得特别模糊，但能看出还算年轻，嘴角左侧好像有一粒小小酒窝。

　　那段时间，我即将赴一次漫长的差旅，与朋友逐一约见告别，也包括分手多时的前男友。我们约在一家西班牙餐厅——"重逢"，这个词语终于被使用，它具有隐晦的情感导向，仿佛分道扬镳的两人对再见怀有一种稳固却并不强烈的期待。

　　恰巧讲到任天时，他问："那个人后来怎么样了？"

　　"不知道，也许还在搞发明吧。他都六十多了，现在回头也太残忍了。"我说。

　　"你们以前是不是还通信过，你怎么看？"他问。

　　"我不知道……但是这几年我明白了一件事，不要轻易评价一个人最珍视的东西。这和说好话还是坏话没关系，就是，不要说。"我说。

"是这样，人都太复杂了。"他叹气。那口吻好像我说了什么和我们两人有关的事，惋惜、切身。

"大家都在做太多徒劳却又可谅解的事情，没人例外。"

"你们律所的人事怎么样了，和她男朋友结婚了吗？"他问。

"我们后来没联系了。"我说。

这几年他赚到了钱，租在办公室附近，郊外的房子由他爸爸和情人居住。爸爸的情人时常闹脾气，唯有巨额的物质补偿能安抚她。于是，爸爸三番四次向他索取，他也并不在意。

狗依然活跃，生过两窝孩子，一个都没留下。白猫则被送到乡下老家奶奶处——或许早就走丢了，但是只要能忍住，不追问，我就永远不会知道真相。

那时他已掌握挥霍的技艺，注重享受过程，而非虚无的结果。他保持着月光记录，随意买奢侈品送人，不求回报，只为购买时的片刻愉悦。往日的困顿究竟能给一个人留下多少伤害，就他而言，似乎永远不懂如何真正拥有什么东西——那种能力在多年前就被剥夺了。然而，那令人痛苦的只是经验吗？当一个人凝视黑暗中琥珀色的双眼时，他真的知道它是什么吗？他真的明白自己是什么样的人吗？

10

任老师：

　　突然发现周四是你五十九岁生日，提前祝你生日快乐。

　　就我所知，很多人小时候都会幻想自己是天才。那种心态很难阐释，未必完全是虚荣、或企图得到关注，在我看来，它更接近于一种交流的欲望——一个人能拥有巨大的能量，去和外界进行前所未有的交互。他们潜意识里的需求，绝不是占有资源、控制他人，而是反过来，他们愿意凭借一种热望献出自己。但随着成长，现实世界一次次的凉水令他们醒悟，自己不过是最普通的人之一。对大部分人而言，成长即一个学习面对自己无能的漫长过程。

　　认真读了你的来信，我更愿意相信你是一个真正的天才。但天才被误解、被短暂地贬损是不可避免的，这是他们获得天赋的代价。世界上许多事也是如此，平庸伤害高贵，丑嫉妒美。人们生活在各种排异机制之中，当你明白，他们诋毁高尚与美，归根结底是出于恐惧的时候，你就没有办法不谅解他们。

　　在古希腊语中，"起诉"本意是追赶禽兽的意思。

这很好玩，借助一种更宏大、公正的力量去启蒙智性未开化的生物。即使未必能成功，这样的行为本身就是一种救赎。或许也是你现在做的事情。

你现在还做研究吗？如果做的话，研究的又是哪方面的东西？如果方便，请向我透露一些。非常感谢。

三三

11

在我与任天时往来的所有邮件中，令我印象最深的，是一则引自《左传》的故事。

当年晋献公想讨伐虢国，为了问虞国借道，请大臣带了北屈产的马、垂棘产的璧送给虞国国君。虞国大臣宫之奇劝谏说，虢国和虞国是相邻的小国，就像唇与齿，假如虢国被灭，虞国必定唇亡齿寒。但虞国的国君并没有听信他，结果五年后，晋国也占领了虞国。当年送礼的晋国大臣取回了马和璧，重新献给晋献公，他感叹说："璧则犹是也，而马齿加长矣。"

"璧则犹是也，而马齿加长矣。"——这当中已经过了五年，璧还是原来那样，马却老了，牙齿又长了几圈。

多年后，我重溯至此，忽然感到其中的悲怆之意。

这句话中包含了太多种目光：如何看待晋国漫长的经营，如何看待宝物的失而复得，如何看待璧的永恒和无动于衷，如何看待马在这五年里度过的每一天，如何看待马对这一切一无所知，如何看待这些宝物还会再度失去……

有一天你突然什么都明白了，这时你没法再评判它，你只能默默忍受你的领悟。

12

作家三三：

抱歉，很久没有回你的来信。我目前的状况比较难，此前租的房子已到期两个月，房东将我赶了出去。幸好现在天气炎热，找地方过夜非常容易。我原来住的小区里有个收废品的老头，和我是好朋友，我把书和稿纸都放在他那里。

我现在经济比较拮据，今天来网吧是为了查资料。我以前有台电脑，但搬家的时候没带走，导致如今查资料很不方便。网吧里烟味很重，我一点都不喜欢这样的地方。有时候很好奇，那些打游戏的人，如果知道坐在旁边的是一个伟大发明家，又会有什么感受。

你的来信让我十分感动，像是说了我一直没法说出来的话。我想起自己年轻的时候，也爱好文艺。《古诗十九首》读了很多遍，"思君令人老，岁月忽已晚"，不是说一想到你就发现自己老了，而是因为好多年里，反复在回想告别时尚且年轻的你，时间就这样不知不觉流逝。很多况味从前不知道，慢慢才明白过来。我也喜欢陶渊明。"平畴交远风，良苗亦怀新"，我小时候在农村长大，这种景象能让我平静。如果你想读陶渊明，千万不能放过《咏荆轲》，你不读这首，就不会明白真正的陶渊明。

目前我开始研究一些比较宏观的问题，比如地球的起源。地球为何是现在这样，没人清楚，但我可以讲清楚，我在很多方面已经走在人类的最前面。

我的案子最近都不是很顺利，我有些记不清你到底是哪个案子的负责律师。我知道你们不会放我一马，但我有个提议请你们考虑。我想把我的案子卖给你们，市场上侵权人还很多，我实在没钱一一去打官司。所以想让你们帮我去打，如果赢了钱，我们可以五五分成。当然，诉讼费需要你们前期垫付一下。

请你们放心，任天时是一个鞠躬尽瘁的发明人，绝不是骗子。

　　你看这样可以吗？我下一次来网吧应该是一星期后，麻烦尽快回复。

任天时

13

　　二零一四年的夏日，雨水并不丰沛，往记忆里溯洄，多是炽烈而威严的光。溽暑时至，中午一出办公楼，人如被热力绞过的湿毛巾。

　　我和刘婷久未共餐。某一天起，她不再和我讲话。偶尔从我办公桌附近经过，她故意摆出一副冷淡的表情，嘴唇向下撇好似一艘沉没的轮船。我知道那些女孩常用的把戏，她也悄悄观察我，想从我脸部读出受伤害的信号，想知道我们曾有过的热络友谊究竟有多少价值。我能回馈的只有一片茫然，并不知晓自己撞上的是哪一座冰山：因为她男朋友私下邀请我去动物园？因为李律师泄露了我对她的评价？还只是因为我时常突然从无休止的网聊中抽身？到最后都会变成这样，秘密不胫而走，所有人知道了所有事，道歉、挽回当然有效，但那不过是一个新循环的开始。

　　那天部门聚餐，订了淮海路上一家粤菜。我们穿过狭长的走廊，巨型鱼缸、水晶灯、花式鲜媚的土耳其地毯——四处是上世纪充满模仿性的装饰元素，隆重，而那勉强想凑近富丽的企图又让人暗中怜惜。这家餐厅中午特供广式茶点，颇受欢迎。大厅里人声鼎沸，多是打扮时髦的老人。每有客户来，李律师就来此请客，久而久之与经理相熟，结账会有九五折优惠。

此次聚餐是为庆贺专利局的通知。前一日，前台送来挂号信，我拆件时提心吊胆，好在结果意外令人欣慰。当律师的这几年，我拆过无数挂号信。有时我掂量信封，不足几十克，却容纳了涉及百万判决的结论，成败全不由我们掌控。实际上，律师能做的非常受限，绝非儿时港剧里那样——你不能随意站起来，慷慨陈词，法庭上的所有人都对激情脱敏了，过于投入的表演只会令人难堪。

"真没想到，复审委竟然会裁定缺乏新颖性。一下子就解围了，客户省了十万。"陈律师快乐时便容易放松，筷子剔不干净乳鸽，干脆用上了手。

"十万啊，对 B 公司来说根本不算什么。"李律师讳莫如深地笑起来。

"你到底什么意思，对我们笨人最好有话直说。"陈律师开玩笑。

"少娟，你到底还是年轻。以我之见，负责这案子的副总并不想赢。"李律师说。

"为什么？"陈律师一愣，仅一转瞬，又颓懈下来，仿佛突然接受了这些复杂的暗脉，"B公司这么大，有些明争暗斗又有什么稀奇呢？"

"小李律师，你怎么看？如果察觉到客户不想赢，你会故意输案子吗？"李律师问我。

当时我正对任天时怀有歉疚，饭间说话不多，握着天鹅酥的细颈便走了神。任天时所在之处比我们更靠近北京，裁定通知理应更早抵达他。此裁定一出，不止B公司获利，这个专利所涉的所有诉讼都失去了支点。

"当然要努力打赢啊。我们的客户是公司，又不是某个X总，不管怎么样要保障客户的权益。你是个律师啊，怎么能故意输呢。"见我不知所措，陈律师接上了话。

我不敢再写信给任天时。体贴或装腔作势，都显得多余，语言所供应的空间只显得虚情假意。

难道我没料到这样的结果吗？当我看到他邮件里自相矛盾的措辞、一粒粒模糊但能累积成方向标的瑕疵；当我看到他十年前后完全不同的样子，似乎这十年来，他终于构建出一套值得信任的逻辑，用来说服他人与自己，我为什么会选择视而不见？为什么不怀疑他，还故意说一些吹捧的假话，追求一种缥缈的可能性？当任天时收到专利局的通知书时，这些铺垫也许只能让他感到背叛——或更模棱两可的说法，是一次加剧的意外，使他的痛苦更加难以忍耐。

我一边思忖这些，一边检索任天时的博客，本只想看看他是否已知情。

就在此时，我才发现任天时一篇新发布的博文，《知名作家三三对任天时的肯定：天才终将超越时代》，内文是我和他多次来往的邮件。

为了突显自己，他甚至改动了我邮件的内容。一些段落之间，他加入了极为谄媚的夸赞，又虚构了一些荣誉。似犄角，看上去与其他部分很不协调，读来更让我羞耻不已。标题里"知名作家"的头衔更像是一枚闪光的图钉，理直气壮地刺入我的面孔——茫然、虚幻的面孔，过了许久，竟也未落下泪来。

VI

无双

南京

无双

2003 年 11 月 10 日，北京初雪。一夜之间，银海压壑，密素平云。早晨穿过园子，只见好一片白花花的冷景。两侧所植的银杏树，多因前一阵寒潮而脱相，大雪一落，最后一点光也熄了。

是夜，焦逸如带一幅小开面雪景图、一个黑色提包、四处借的八百元，踏上北京开往南京的火车。这一年，动车组尚未开通。京宁之间，普通列车往来需十三个小时。为省钱，买的硬座。久坐肩胛骨疼，又过不久，痛感下移到腰椎。起来沿通道行走，看窗外，幽暗独揽万种风物。一恍神，车玻璃映出她苍白的脸。

"小姐，也是去上海的？"

她一转头，是一个中年男人。不高，体态微圆，一条花格围巾斜拓在棕色呢西装上，上口袋别一枚烟斗型的银胸针。便淡淡说："不去。"

男人不介意，又说："刚才看你读《狄德罗绘画论》，本人又气质非凡，是艺术专业的学生吗？"

"随便看看。"她答。

"这书冷门，我几年前读过。印象最深的，是说创造怪物要靠很高级的趣味。人头放在马的身躯上使我们喜欢，马头放在人身上则很古怪。"男人看上去颇有兴致，他何其自信，以至于对她的冷淡视而不见。他又说："作为男人，我也许很容易投入美人鱼的怀里，但假如女性部分和鱼的部分对换，我肯定调头不顾。"

"我不想谈这些。"说完，她盯着他，面无表情。

"去见男朋友？"男人讪笑，偏了头。

她一愣，语调也软了："一个朋友。"

到南京站，已是翌日晌午。南方物候迟钝，少大起大落，如今还剩一点余温。天光正清朗，从车站镂空的顶部泻下。焦逸如一步跨下车，踩入光中，立起影子。四面人流不断，都对自己所去之处一派了然。

焦逸如在南京没有朋友。即便版图扩张到全国，答案也没多少区别——她朋友寥寥可数，且多是主动攀结之辈。在南京确有远交，不曾见过面。来南京一事，她多次写邮件欲商讨，结果对方音讯全无，连普通信息也不再回复。昨日一狠心，直接买票来，临行速发一封短邮件，告知车次、到达时间。又于往日记录中翻出对方手机号码，列车过徐州，终于打了电话，那边却是关机状态。

她到闸机口，旅客几乎散尽，出站无需排队。隔栏外，有人正举着写她名字的卡纸。字迹潦草，"逸"字下方的一点悬浮在外。她一怔，想自己理应表现得雀跃些，可肢体实在僵硬。那人见状，认出是她。嘻嘻一笑，殷勤接过她的行李。

"嫂子，我是周放的朋友，叫我小朱就行。"是一个男人，悍匪相，方脸细眼，鼻子硬挺。此人年龄略大于她，一声"嫂子"显得油滑——她和周放素未谋面，只在网上有一段模糊的往来。她猛地意识到，原来这不是他，随即一失落。

小朱走在前，她跟着。低头间隙，瞥见他裤腿上的破洞。转念及周放，不知他又是怎样的气度。

他们坐上出租车，一番颠簸，赶到旅馆。小朱执意要付钱，只道是周放嘱咐。焦逸如不肯收，一推搡，几张纸币飘落在地。趁小朱捡拾，她已付账上楼，安顿好行李。两人去一家宁菜馆，赤金檀木桌，套盘错落放置。筷子一长一短两副，长的那双颇具气势，像一块惊堂木。小朱点一只东山老鹅、一条松鼠鳜鱼、一份"金陵三草"素碟、一笼蛋烧麦，配一壶花茶。小朱兴致很高，一路嘘寒问暖，她则多漠然。

"别客套，周放人呢？"她堵住小朱的闲话。

"他最近出城开会，来不及回。我先招待嫂子，好好吃这一顿。"小朱应承道。

"什么时候回？"

"也许明后天，也许半个月。具体看他那边情况，我也说不准。"小朱面露难色。

"好。我等他回来。"

茶具精致，绘顽童打杏图，细部皆勾金边。焦逸如的脸如月亮倒影在杯中，二十岁出头，眉目冷峻，含肃杀意韵，标准的冰山美人。若比拟作花，想必擅于"独立濛濛细雨中"。她在美院念书时，其样貌远近知名，却不招人亲近。同学看她，多带三分敬畏。

第二日，小朱一早来接她。羽绒服卸在衣柜中，换一身白色衣裙。又提起点睛之笔：一根绑在发间的浅色缎带。她悉心打扮，想好要说动小朱，领她去见周放。这一日行程始于总统府，中堂见一金龙口衔轩辕镜。小朱说，此镜可鉴别真假天子。若假天子上龙椅，明镜便会坠落。世人多恶赝品，但真伪又由谁说了算？途径蒋公昔日办公处，往里探一眼，平淡无奇。总统府内设先锋书店，焦逸如逛一圈，悻悻放下其他画册，只买一本康斯太勃尔。下午去古鸡鸣寺，路旁樱树成槲，可惜时节不对，花枝空荡荡一片。

入夜，秦淮河十里烟香。在船上，她终于厌倦了推诿与等待，再度问起周放的行踪。小朱坚称不知，迂回之间，露出怯意。无非是等而已，她盘算了花费，还可以撑几天。

往后几日，两人去了中山陵、明孝陵、雨花台、紫金山、博物馆。每问及周放，小朱极力回避。不仅不说他在何处，连其身份、工作、家庭、习惯都没透露一字。她心知无法勉强，却不肯轻易死心。

一天傍晚，两人走得精疲力竭，在一家小餐馆坐下。小朱颇通历史，对她说起太平天国时，南京以东、以南都有食人之事。人肉最初卖三十文一斤，后饥馑难平，涨至一百二十文一斤。然而，较之皖北一带，南京物价还是便宜。小朱戏道，你想象一下，路上到处是割了肉的尸体。随便走几步，血湿了鞋。

她低头，想的却不是天国之事。

"到底怎么回事？"她问，语气犀直，捅向这无意义的太极。

"玩几天，就回去吧。"至此，两人已心照不宣。

"我要见他。"

"他已经结婚了，不方便。"

"那也要见，把话说清楚。"

小朱沉默，稍后又开口："不值得。"

"我偏要见一见。他就是进了监狱，我也要把栅栏一根根撬断。"

突然，店里闯进一个红头发的女人，壮高个儿。冬日尚且悬而未决，她已穿上印花羽绒服，步伐之间，自带满堂彩。女人来势汹汹，二话不说，直奔角落的一张桌子。那桌有两人并排而坐，旁人未及看清他们的面目，只听得女人甩手几巴掌，劈崖排山。众人静阒，啪啪声音的尖花绕场环响，逐渐平息。座中一个年轻女孩被一把揪起，连拖带推，一齐到了店外。男人也从座位上站起，面如醉酒，一声不响，循两个女人的去向而出。全程，红发女人斥骂不断，用的是方言，凭感觉能听懂一部分。

不多时，看客松懈下来，店内又徐徐升腾起生机。焦逸如捧着茶，在这场梦里，她比别人醒得慢一点。想说什么，却抓不住合适的语汇。

"你看，男男女女，世上到处是这样的事。"小朱叹气。

就到此吧，她想好次日回京。

夜里，风势急转。寒流已开刃，两人走在路上，感到面部被重新雕刻。小朱送她到旅馆门口。临别，她说起北京初雪日。比起惯俗，今年初雪提前了三周，甚是无常。她请小朱把所绘的雪景图转交给周放，权当纪念。正要上楼取图，蓦地想起，雪景图被她忘在火车上了。那幅图成于半日内，不动理念，不讲技巧，一切逻辑空间皆让位于天然的瞬间，是纵身激越之作。她想，一生之中或再也画不出这样的雪景了。至此，才怔怔落下泪来。

十三岁，她怪梦频繁。有一回梦见末日，霪雨通天，人间猛涨一条清河，顷之已过腰腹。万人逃命，巷陌溢出呼救声。古怪的是，万物一经水淹，便由外至内、按颜色次第溶解了。手浸在水中，一颤，指甲的肉粉、指节的暗黄、手背的青白旋即分离。第二层，经脉、血肉、退化的手蹼都露出来，又化开。骨头也已不属于她，白色上包半层雅绿薄膜，冷得很。梦至终点，这个物理世界尽化色解体。她看见文明的残骸在河底涌流，无数种颜色离合不定，万花筒一般。

醒来，她说服家里要学画。这个年龄拾笔已晚，但好歹攥住几年时间，为报考美院而筹备。有些老师赞她天赋，也有否定的，但不多。在她自己看来，天才势必具有一种磁性——对他人、他物产生强烈的排斥或吸引。可她一贯平稳，未曾有过那样的效应。

首次参加群展，是念美院的第二年。策展主题为"进入黑夜的漫长旅程"，与1936年尤金·奥尼尔获诺贝尔文学奖的戏剧同名。她翻过好几次书，读不下去。外面春色正媚好，景幅中藏着大量珠光折角，像是丝缎织出来的。截稿期临近，她终于在书里发现一种重要素材：雾。

> 我只是觉得在雾中可以同这世界隔绝开。在雾里，任何东西都可以被更改，所有的人或事都是虚幻的。谁都找不到你，碰不到你，你能够一个人活在自己的世界里。（剧中玛丽独白）

由此，她勉强算被灵感击中。时间紧迫，独辟蹊径绝无可能。于是构图参照威廉·布格罗的《比布利斯》，卧女靠在溪石上，腰腹微微伸抬。其身后怪石巉突，右后视域的边缘止于幽暗松林——这些被她替换成海景，另有迷雾障天，不知由来。同时，她缩小了女体的比例，扩张景对人的作用。画作取名《爱、欲、恨》。

画展一开幕，运势迅速将她送往风浪之上。《爱、欲、恨》引起评论界诸多关注，裸女处理得极为精湛，足见其潜力与才华。她故意避免使用"衰老"手法，却将裸女画出微妙的凋敝感，丰沛情感溢出肢体，四下感染。另外，海浪与裸女二元素，暗扣"维纳斯的诞生"场景，借喻却截然相反，可谓别具一格。

"这是一个颓败的维纳斯，而雾意味着无序的时间。二十世纪末的天才新秀，灵性十足，值得期待。《爱、欲、恨》脱胎于保罗·博德里的《海浪与珍珠》，画家以其独特天赋，将威尼斯画派技艺进行现代淬炼，融入当代城市青年的独特面貌……"

她放下报纸、杂志、纷沓而至的信件，放下胡言乱语与错滥激情。

一日，她收到一封邮件。谈论的自然是《爱、欲、恨》，巧言少，非难多。此人称画作古板浮躁，浪得虚名，画中女人更是矫作。将她的匠心视为斧凿，如此直率，这大概是唯一一个。临了，机锋突转。那人指出，这幅画的精妙之处，实则在于雾中海景。人物虽刻意，景中却含独特韵势——以他之见，或许是一种孤绝。

她重读数次。过几日想起，突生感叹，便回了邮件。对方也殷勤来信，与她讲起温斯洛·霍默的海景。又提及威廉·布拉德福德，美国首位绘北极风光的画家。群山含冰，挺于暗河上。到黄昏，云供夕阳寄色，万里幻光莫测。他私心喜欢伊万·希什金，她也受影响。

这是她和周放结识的缘起。如此交往几年，总是最贴心，纵冰山也解化。他们从绘画、艺术、日常思虑、人生困局聊到感情，又因她突击，戛然而止。

回京第三年，焦逸如嫁给一位昔日老师。丈夫早年精于工笔画，属新时期学院派领军人物。后受聘绘一幅长卷，有关改革开放二十年北京新面貌。每日唯恐重任难承，呕心沥血，耗时两年，终交出一份荡气回肠之作。此后便封了笔，只授课不创作。娶她时，已临退休。

那些年里，坊间有传闻，焦逸如在画坛风生水起，全仰仗丈夫背后的运筹。才华，毕竟娇嫩，一触权威即成花饰。以她的性格，不顾情理，得势后更易遭非语。偶尔，焦逸如回校，或参加同学聚会。同窗皆四散闲聊，招呼过后，就没人再和她说话。她也不在意，独自巍巍坐着。

倒是和小朱成了朋友，再无精力通信，只不时打个电话。出于惯性亲切，或无伤大雅的恶作剧，小朱仍叫她"嫂子"。一次电话里，小朱突然道出一个秘密：原来，小朱并非"小朱"，"周放"才是他真实姓名。两个男人久为发小，为便于自我信息保护，有时（例如收发快递）互用对方的名字。她不由得追问，如翻拨废墟，那他全名叫什么？对方说，朱正祁。她问，怎么写的。对方说，公正的正，祁连山的祁。她不应，信号也欠佳，听筒里传来滋滋电流声。对方说，连名字都是假的，早点放下是对的。良久，她笑了出来，说这名字斯文得很，像个明朝皇帝。

那时，她已年过三十，在婚姻里落得疲累。对往日情事，偏执也耗散。事情揭晓后，她将错就错，电话里还叫他小朱。放到她的人生中看，这完全没有区别。

事业青云直上，采访、个展、游学、研讨、国际论坛，悉数参加，也得了一两个重要的奖项。上升至某个程度，体系终纳入"焦逸如"这个名字，人们重又对她热络起来。她也成长，对镜调整面部肌肉，使五官柔和。适当场合，知道运用应酬技巧。但总是僵硬，通过一次次经验来修缮，慢慢才稍加自然。

有一年冬天，焦逸如去徐州一所院校办研讨会。此会是人情之举，本无必要，但推辞盛情却也败兴。中午，她懒得跟餐，独自先入会场。室内空无一人，实木长桌摆成"回"字型。中央空地，由绿萝、发财树、文竹占据。也好，是一种借来的生气。

焦逸如绕场环行一圈。木椅宽敞，带扶手、靠背，有明清家具的风范。席卡和矿泉水分头站立，瓶身的纸已撕净，通体透亮，可装魂魄。她走到一处座位前，蓦地注意到，席卡上印一个熟悉的名字：朱正祁。

回过神来，小步快跑至盥洗室。这才看清今日的装扮，一件琵琶襟旗袍，白底印雪青纹饰，下摆开叉处镶边。脸上脂粉重，眉毛画得过于陡峭，凶相。她把头发放下，细心检选，拔下五六根白发。重新束起，拢得平整。望方镜里，法令纹有些深，整体也是俗气。深吸一口气，抬眼时，竟几欲泫然。

缓缓走出去，如领神迹，突然看清了自己的处境。

近两年，杂务诸多，于画技本身有所耽误，以致全无长进。从前鄙薄这类画家，现在她也如此，名大于实——况且都是虚名。出于清冷性情，她甚至无法在重要协会、组织谋得一席之地。新晋画家赶上来，新的天才与昙花。九十年代出生的孩子，各举器刃，瓜分了画坛的注意力。所幸，她还未彻底失温。当务之急，要拿出一批有说服力的作品，巩固地位。然而，这谈何容易。

她儿时听说的一个故事，讲一山中仙童擅绘画。为在画上更进一层，便搁了笔，下山感时格物，饱览人情世故。数十年后，回到山中，感慨良多，笔却已经生锈了。焦逸如自思，若她有笔，恐怕也快生锈了。想到将在研讨会上见到故人，幻同一梦。假如能由她选，她希望他们在更好的时机见面，而不是在此——她的下坡路上。

两点过后，与会者陆续抵达。江浙一带不比北方，人

　　　　　　　　　　　　　　　　　无双

物风流闲散，规矩没那么重，不少人迟到。已来的先开始发言，有的归陈她的创作年表，有的评析她的技法。尽是溢美之词，"天才"这个头衔跟了她好多年，现在听来，颇有些讽刺味道。再无人说得像周放一样清晰——"孤绝"，了无退路。正是因此，她无法体贴地进入他者，画人物总是虚假、夸饰，画景却宏阔丰富，诸多言外之意。

快到四点，眼看研讨会要收尾，"朱正祁"的席卡后方仍无人影。主办人把话筒递给焦逸如，她双手握话筒，不时搓着柄，半天说不出话。

"谢谢大家，谢谢主办方……"重复，语无伦次，稍加平息，好像在确认什么，又说，"刚才有老师说，我的画中多藏反叛精神，这是不对的。我一向个性褊狭，这是缺点。对外面的秩序，我不了解、不感兴趣，更谈不上反叛。又说我画里有独属女性的新时代力量，这也是不对的。我不是性别意识强烈的人，看他人，并不会带性别观念。为什么女性需要建树、强化自己力量，这种分类看似励志，究其本质，还是不公正的。我究竟在画什么，其实自己也说不清楚。有时感受一个景象，认识到其中的细部，就画出来了。如果这归属于灵感，那么……现在我快要枯竭了。才华具有时效性，一个人不可能永远霸占它。耗尽以后，命运中的光亮也要殒没大半，甚至不如常人。自责、自毁，被落差磨得更脆弱，这是拥有才华的代价……"

讲到后来，失了逻辑，近乎疯语。她感到胸腔有暗火，呼吸被烫成阴云。躁郁、猖急积起来，某一瞬间，她想，只有把自己砸碎才会痛快。不为别人，不为某种求而不得，这是她自己的事。但却是那块席卡的存在，迫使她审视自我，寻到自己真正的位置。

自始至终，"朱正祁"当然没有出现。

有一些年是烧尽的。案牍劳形、奔走不息，时间像一匹钻火之马。

再次看到同一个名字，中间又隔许久。彼时，信息流的高光汇于自媒体，公众号兴盛。她看得少，久了眼睛酸涩。有一天随意翻手机，突然见到往日旧交的名字。不是什么好事，作为读者，她草率地跟随大众辨认、审判了他。

夜里，焦逸如打电话给小朱。先谈俗常，交代近期一些大事。她在俄罗斯申请了项目，成功的话，将有十个月时间驻地莫斯科。小朱说起多年前，和朋友去俄国旅行。四月初，依旧天寒地冻，湖面上的冰正为末日苦熬。莫斯科得体，但他更喜欢圣彼得堡——彼得堡有一种失语的气质，使人莫名为它内疚。

然后，沉默鱼贯而入。太多类似的瞬间，凝罩在焦逸如一生之中。四周都在等待，她欲语，却无言。那些时刻，人生的贫瘠暴露出来，荒原覆雪。

"你看网上消息了吧？"倒是小朱先讲了出来。

"看了。"她应道。

在徐州研讨时，她从名册里探查过周放的身份：他在南京一所大学就职，艺术理论专业，讲师。其余便无信息，她也不愿意问。不是怕泄露什么，只是一旦对他者提起此人，她的秘密就损漏了，价值亦遭降格。

"挺可惜。"她想了想，又说。

"你不知道，这是陷害。事情都怪那女孩，周放有一门课没给她好成绩，影响她明年出国交换。她多次威胁，来闹，周放也倔，就是不肯改。所以，报复跟着来了。她断章取义，歪曲聊天记录，把编造出来的骚扰举报到公众平台上。"小朱语调低落，湿漉漉的，接着说，"现在的孩子和我们当时不一样，不讲规矩，很会捍卫自己的权利。"

"也未必，还是看人。"她说，思忖着公道。冷兵器时代已过去，最好的武器是谎言，但不是每个人都称手。然而，她并不相信周放毫无过错，就问，"真的全是编的？"

"你说呢。周放这么胆小，这事情怎么可能。"小朱说。

"他被辞退了？"她问。

"还没。学校把他调去图书馆，以后就在后台，不开

229

课了。"小朱不必再说下去，一切了然，周放的职业生涯滑坡告终。

电话另一侧，焦逸如久未言语。突然，话题转向小朱。"你今天有点心不在焉。"

"是吗？"小朱稍稍一顿，迟疑罢，还是说了出来，"女儿闹脾气。念中学了，人变得特别敏感。"

焦逸如想说什么，风过嘴唇发凉，灌入喉中。她蓦然发现，她对小朱的生活一无所知。许多年里，只是她一味地讲述自己。小朱呼应之余，竟从未主动提过自己的人生——原来他竟有个女儿，十多岁了。到此时，她回想与小朱往来的漫长年岁，才感到恍如隔世。

再次听闻周放的消息，大约是半年后。坏运气寡执，从不手下留情，已把他带往更深处。妻子与他协议离婚，房子、动产多留给女方，他则担下未清偿的贷款。有些人软弱，善于从自我惩罚中汲取尊严，周放多少有些那样的脾性。

拮据赤裸地照在周放身上，无处逃避。他没什么副业可选择，就拜托旧日交好的学生，在一个叫 Artand 的艺术交流网站上注册了账号，贩售画幅。他的画法根基于点彩，但取点为马赛克的形式——工整、匠气，格局却难免沦为庸俗。假如他意在塑造一种现代机械感，那么只有两三分是成功的。绘画主题集中于风景，水彩常调得清透，远看时尤其柔顺。作为装饰画，勉强有一些市场价值。

成交量自然惨不忍睹，取悦市场的画作成千上万，能成热门还与运气有关。更何况，他的画艺本身也业余，只不过在理论上颇为精深。

焦逸如翻了前几页，余下的不愿再看。化名买了几幅，入结账页，总价甚至不到四千。四千，于事何济？她不好意思多买，怕他起疑。他天性中带一种古典，日常、遭际、周围人群幸灾乐祸地触毁了一部分，她不想参与其中。须小心行事，她想，以免无谓动荡。

年底，焦逸如另寻化名，高价向他订制一幅作品。问她主题，思忖半天，只出两字：无双。《史记·淮阴侯列传》载："诸将易得耳，至如信者，国士无双。"一世之间，多少牛鬼蛇神出场，又何足道，重则重在"无双"——纵为韩信也多坎坷。

画作寄到代收驿站，她取来，两三天后才想起拆。画框里立着一座孤峰，踏海入云。细辨，山中藏四时变化，多在有无之间。除了用以赋形的黑色，画中只存蓝与白。为了滤一层灵逸，他将马赛克方格调得更小，选取相应部分，分几次点上透明箔片。然而，他的技术显然跟不上雄心——他似乎并未想到，随时间流逝，水彩褪色掉屑，叠加次数过多会使画面变脏。另外，他对透视法的运用也成问题。病在功底薄弱，一朵风蚀之花。

焦逸如只觉惋惜，说不清为什么。差强人意之事太多，为一幅画耗神，也不至于。如今看周放，权当一位故交，互相启发过，已是难得。人各有路，到后来，悬殊在所难免。这些她都知道。当年去南京，非要见周放，小朱劝她罢手；往后许多年中，旁人也有过类似之谏，劝她豁达。认知无常又有何难，只是，她心性里似有一股侠义之气。明知世事如此，偏不肯认服，自损也不惜。

难关总是迭起。二十年代初，有人在一份名刊里发文，指出焦逸如近作对休伯特·罗伯特的偷师——笔者用了一个更刻薄的词语，"抄袭"。

罗伯特所在时代，新古典主义已然盛行，但他承袭的仍是浪漫主义一支。罗伯特擅画废墟，而这正是焦逸如近作的主题。长篇累牍之间，笔者比较了《有石碑的风景》（罗伯特作）和《荒塔》（焦逸如作）、《公园通道》（罗）与《废弃乐园》（焦）、《作为公共浴场的古代遗址》（罗）与《巴比伦小镇遗迹考》（焦）等多组作品。仅第一组作品中，就梳理出七处明显的仿照痕迹。基调既定，花腔再翻也无意义。

读到批判之文时，适逢圣诞夜。北京入雪期，大寒。路灯撑开明亮的介质，供雪显形，密密而下。路边积滑，酗酒的人踏着冰走过，一丛又一丛。她隔着落地窗望了一会儿，感到前所未有的无聊。丈夫好雅致，房间选饰多是黄光灯。幽暗、叵测，仿佛光域之外是无尽雨林。她突然怀念起白光来，儿时，家中用老式日光灯，长长一条，一拧就将黑暗驱除一空。她时常凝视着灯管，日久两端积钨，生冷。闭上眼睛，灯的影子滞留在视线里，泛黑光。终点便停留于此，这明知不久就会消失，当时却幻象为永恒地狱的黑光。

丈夫有碍于身份，不便出面干预。暗中请昔日学生写稿反驳，就发在同刊物的下一期，同时在社交账号上更新。学生按令磨剑，拣选焦逸如的原创性，加以巩固。主题近似，能说明什么？就风格论，休伯特·罗伯特自身也脱胎于帕尼尼。细观《公园通道》一幅，高基座雕像、升扬的秋千、暗树虬枝、乃至卷积云，难道不是受弗拉贡纳尔的《秋千》所启发吗？抄袭一语，实在可笑。论断下得如此轻妄，徒然暴露笔者审美力的肤浅。

艺术界虚捧久矣，此番论战，反而注入一些活力。不时有新人加入，接着，问题被逐渐抽象成"当代艺术中的模仿意义"，如一场思潮。常规的，谈起苏格拉底"艺术模仿"的美学主张；也有另辟蹊径，引用欧美判例法中著作权相关的评断标准。除正经商榷之外，还有趁乱而生的互辱。你一言，我一语，互相进攻，不知所云。

有一日，焦逸如读到一篇乖戾的文稿。其中综述了支持方的观点，加以一一嘲弄，多诛心之论，显得恶毒。至结尾，突然点评到周放：

> 这个作者原系南京某大学的讲师，因多次骚扰女学生被开除。在焦逸如抄袭事件中，作者写了好几篇文章，几乎都重点不清，阐释更是牛头不对马嘴，非常混乱。有一篇甚至通篇吹捧焦逸如的画技，谄媚至极。凡是走溜须拍马之路的，必须有好眼色，看得准时机。不合时宜地拼命讨好，只不过是疯狗一条罢了。以我之见，这个作者就是来蹭热度的，想凭胡言乱语吸引注意力，东山再起。这人完全不值一提。

焦逸如这才知道，原来周放也参与了这次笔战。

"东山再起"，有意思，世间哪来那么多东山。

她搜索周放的文章，意外发现，文风与当年判若两人。确实平庸，了无洞见，对理论的引用也很含混——除好意之外，这些文章什么都提供不了。她颇感怆然，不知是自己见地变成熟了，还是遭际大大削减了周放的笔力。

　　一个永恒命题，时间究竟怎样对人施法，使其面目全非。正确的做法也许是，浑浑噩噩地前去，不要回头。不要成为俄耳甫斯，或罗德之妻，永远不要回头。

　　拨响小朱电话时，焦逸如忽然意识到，原来久已没和小朱通话了。上一次联系，还是圣诞早晨。第二日了，缓过来，气愤与不甘涌起，就想找一个可信的人倾诉。雪下一夜，仍未减势，天地似怀一种苍白的决心。小朱宽慰她，除了生死，人生无大事。又说到圣诞，东方没有真正的圣人，亦没有一次肉眼可见的复活，也许因为东方人生来迥异，以周旋替代了绝对性，存活于迂回之中。

　　铃响两遍，无人接听。徒生不安，又拨一次，对面接起电话，却不说话。

　　"怎么才接电话，最近都在干什么？"她问。

　　对方仍未接话，焦逸如不由得急躁，又催问一次。正想更新抄袭事件的后续，电话里突然传来一个女人的声音。

　　"他两个礼拜前死了。"女人音调冷峻，听上去很年轻，紧绷着一种敌意。

　　一惊，难以置信。下意识视作玩笑，顿生轻蔑之心，感到无聊。猛地，又怀疑这是真的。现实世界失了根基，变得虚渺。一来一回，不知所措。

"什么原因？"顺势问下去，发觉喉咙口轻微疼痛。

"猝死。"女人说，射箭般利落，似乎并不想透露更多信息。

"怎么会，他还这么年轻……"

许多年里，焦逸如与小朱只见过一次。面目被记忆重置多次，模糊，只记得当时彼此都还年轻。是死亡，令她终于察觉到一个额外的世界：通往死亡之路，小朱不是一次性走完的；他像常人一样，途经衰败、凋残、疑虑、种种自我否定。只是，他向她隐藏了这个过程。

"你不要以为我不知道。"电话另一边，女人又开口。

"什么事情？"她惊讶于对方的口气。

"你们的关系……你真不要脸。"对方怒起来，隐遁的紧张感终究炸开，使忍耐前功尽弃。像一幅抽象画面，自暗紫转红，侵略性由此显露，却也好过晦暗不明的重压。

原来对方竟能这样误解，她不知如何解释，也不愿解释。就笑起来，是中立的，为命运本身的幽默性。

"无论如何，你们结束了。请你以后不要再打电话来。"

向敌人展示愤怒，尤其是无能为力之怒，无异于一种受辱。对方或也明白这一点，便迅速克制下来，装作无动于衷。淡淡一句，以示告别。挂电话后，虚无弥漫上来——眼前是一个巨大的、等待甄辨的空间。

自始至终，独有她一人。

多年后一个周六下午，焦逸如用完最后一截白色油画棒。从长到短，到再也握不住，按在布面上，一划即消失。起身，冲洗嵌在指纹里的杂色。是秋天了，拧开热水，雾在镜中渐趋厚实。她脖子上贴着果冻胶，为抚平颈纹，但功效一般。顺手撕下，企图恢复一个干净、简朴的自我，用来庆祝这一刻。

现在，流逝的事物更清晰了。不必再用虚数，"多年"——实际上是七年，她有时忘记时间，却在另一些时刻想起。自抄袭风波后，她再无作品问世，亦不公开行动。七年间，仅有几家媒体提及她，口吻多带遗憾，仿佛她避开世人，悄悄死去了。

起初，她疏远外界，想腾出些空间。每日在家中走动，摆玩丈夫的各式藏品。物之美倒也可感，只是有限度，容易乏味。《无双》一图挂在客房，不时去那里闲坐。有一日，突然有感，想重新创作这幅画。就动起手来，将开幅增大数倍，并换作布面油画。解读、消化、模仿、酝酿、重铸、更改、修补，待最后一笔落成，七年已经过去了。

仍然把画叫作《无双》，非为纪念，只不过没更好的名字。

拿去参展，惊艳四座。头几日，各处迭推，接下去却反响寥寥。有些不解，但无处问。七年，较之一场人生而言，占比太重，以致他人的评判无法撼动。结展之日，画送到家。隆冬时节，花梨木画框一角微裂。低头想，大概一个时代真的过去了。

　　这幅《无双》虽脱胎于周放的原作，但多年来，一笔笔更涂，早就面目全非。原画中的山景被稀释，重心迁移，人们一眼注意到的会是海。

　　最早他们通信时，周放对她讲过一段古希腊的对话。人们问阿那克萨戈拉：郎布撒克姆山是不是有一天会变成海？阿那克萨戈拉回答说，是的，除非时间不再进行。阿那克萨戈拉相信，郎布撒克姆山是因海水退潮才被发现的，有一天海水涨回来，山也会再次被淹没……像这样，许多年里，山变成海，海又变成山。

　　不久后的一日，焦逸如收到一封邮件，竟是周放。内容简短，说他人在北京，问是否可以见一面。又补一句，已看过她的新作品。

　　他们商定次日晚饭见，在他酒店楼下的川菜馆。不知为何，她有他不吃辣的印象，也许如今习惯都变了。失约，她当然也想过。近三十年过去了，滞障太多，怕见了也说不出话。

可到约定之时，她还是去了。或许生性如此，不见底不罢休。小时候，去医院抽血，别的孩子都扭过脸，避视过程；她则相反，非要亲眼看着针头扎进血管才安心。于是，打扮一番，靠美化自己来攒取力量，以抵抗不确定性。

时间尚早，焦逸如进门，川菜店的大堂只坐了两三桌。花椒味散溢在店里，化为视觉，是一种偏黄的青色。外面天冷得很，得知小朱猝死，也是这样的日子。再不能与他通话，最初是震惊，命运附赠的意外中最不能平息的一桩；后劲却越来越伤感，说不明白。室内多虚热，她拉开羽绒服，露一件酒红色修身的连衣裙——出门前怕简陋，此刻反倒担心用力过猛。

引座员殷勤迎上来，她摆手，自己朝包厢走去。厅堂之中，寥寥人声谈笑，因空阔而稍生回音。广播里，几首粤语老歌循环播放，是女人低沉柔魅的声线。

　　　　该出影片　映于一九几几
　　　　当天跟你　天都不理
　　　　欢欢喜喜　没有预备别离
　　　　只想永远好天气

走到包厢口，见门中已有人到。

是一个老头，面向窗，手捧茶杯。头发尽白，如攒一夜大雪。

鬼使神差地，她想起一个故事，不知道以前在哪里读到的：一个人一生都在等待丛林中的猛兽，临终之日，忽然明白，原来猛兽已经来过了。

广播里一首歌尚未唱完。她稍站一会儿，隔着门缝又望一眼，便转身走了。

VII

黑暗中的龙马

河北

黑暗中的龙马

　　他们第二次见面在南京，临近大行宫站——小宁的记忆总是精准无误，摆弄时光便签是她的特长。已入九月，晚夏在无度炙烧中消陨，但小马还穿着短袖。她问小马，不冷吗？小马羞赧地笑了，仿佛让她产生担忧是他的错。他们一路走，她听小马说，江宁织造府就在附近，乾隆六次下江南，五次都住在府内。她思忖这地方和《红楼梦》有某种关系，可她知道得不够清楚，事物之间的牵连多是虚线。他们去一家砂锅粥店吃晚饭，小马替她推门，露出手臂上被夕阳烫金的茸毛。小马每天下班途经此处，常常指望有朋友来玩，人多了，才喝得完一锅粥。

　　下一次重逢在上海，他们一起参加朋友的婚礼。酒席有些哄乱，朋友们趁机滥饮，交换无成本的祝福。小宁从盛虾仁的盘中捡出一朵兰花，开玩笑送给小马。当时小马还在用一个黑色钱夹，他把花塞进隔层。没有承诺，表态只会让一切走向烂俗。几个月后，小马发来一张照片，干花嵌在原处，枯死赋予它娴静与可信度。

有一年冬天，小宁从北京出差回沪，顺路去南京调一份档案。抵达南京已是夜晚，她匆忙洗头，来不及吹干就重新闯入黑夜。那时她还留着长发，看上去恭顺、明亮、善于祈祷。她住的旅馆离小马家很近，步行 1.2 公里可达。小马和一位朋友合租，那间敞亮的房子擅长迎宾，她却是头一次去，也是唯一一次。她参观了小马的房间，目睹吉他、风铃、他自制的书架，又在一幅女孩的自画像上稍作停留——那是一件礼品，画中女孩半裸，躺在一丛迷幻的色块上。小马翻出吹风机，替她吹发。一边教她，头发要从里往外吹，这样吹干以后不会蓬乱。吹风机的声音吞没了他的话，她感到耳中淌着一条聒噪的河流。小马送她回去的路上，街道空荡荡，天冷得像覆着一层灰色蛇鳞。他们穿过一片茫茫夜，她记得地铁口怎样直指他们的背脊，宛如一支意图莫测的猎枪。

再往后，就是现在了，距他们第二次见面已有五年。

他们相约去草原骑马，目的地在承德以北一百公里处。汽车驶于离京的高速公路，他们坐后排。坐姿各向窗倾斜，使他们如同分叉的树枝。一些简短的对白时而冒起，关于当日早餐，或北京的气候，两个话题之间由漫长的沉默衔接。

钻进观音山隧道时，小宁扭过头，迅速打量小马。隧道顶部两侧装有灯带，车往前开，光与影轮流从小马身上滑过。小马纹丝不动，像一座久置阴翳之中的雕像。一件黑色风衣罩在小马身上，是老电影里侦探偏爱的款式，她能想象面料摩擦时发出的沙沙响声。她趁机注视他，一边试图从过往交集中还原出一个小马，却突然意识到，相识的好多年里，其实他们根本没见过几次面。

"我以前去过三次。"

"哪里？"穿越隧道出口的瞬间，日光巨流从天而降，她感到晕眩。她在茫然中僵持几秒，才看清眼下的处境：命运是一位跳棋选手，这一步里，他们同时落在北京。今年九月，她辞职来北京读研究生。依旧是法律专业，枯乏厚重的书垒起来，通往一座旁人眼中的摩天高楼。她比班里其他学生年长五岁，她不在乎，但时常厌烦差异所带来的实际麻烦。至于小马，则已在此做了两年杂志编辑。

"骑马。两次在坝上草原，还有一次更往北，靠近满洲里。"

245

"那边的马更野吧。"

"是啊，撒开跑的时候根本拉不住，那种失控很吓人。不过骑马本身也会上瘾，你骑过快马之后，只想骑更快更烈的马。"

她想，她骑慢马就好。她的人生中似乎从不具备参与挑战的激情，对于危险，她多选择退避三舍。有时加以预测，发现危险不至于构成真正的伤害，便凑近观看，满足一些多余的好奇。

小马说起两桩骑马惨事。前一桩发生在北疆，在夜骑时，马踩到老鼠洞受惊失蹄，骑马者当即被甩落，死于马蹄之下。另一桩的主人公与小马的朋友相识，那人自诩为骑马好手，骑马时脚蹬得太随意，稍微一动荡，脚就卡进了马镫。没人知道苍茫草原上发生过什么，只看见傍晚马跑回来时，半截身体已经被拖烂，剩下一副被卡住的腿，倒悬着从裤管里伸出来。

"马是牲口，你只能把它当牲口。"小马说。

迟疑之后，小宁点头。小马对马的诠释分散在每一个重音里，但她并没有明白他的意思。在此之前，小宁只在电视里见过马，通常是古装剧，马驮着一群表情凝重的人。他们都在做什么？连夜赶路、谈判，或以迅捷骑兵的身份出现在一场战争中，这些刺激的剧情像树叶表面张开的脉络，全盘网住她的精神，以至于她根本没注意到马。

　　她忽然想起很多年前，一个亲戚带她去西郊动物园，她骑过一匹特别慢的马——那甚至算不上马，它老得脱离了物种，被打发来糊弄儿童。她记得当时坐在鞍上，前方有人拉扯缰绳，那匹生物极其缓慢地行走。那时她不知道自己多渺小，怜悯着一切，她想抱住它痛哭，告诉它没什么可怕的，想怎么做都行。她还想到，如果带她来玩的是父母，她才骑不上马，他们能一眼看出这笔交易不划算。那一年，她大约七岁。

　　"我上一次去时，马最快达到时速五十多公里，但马容易累，不能一直跑。"小马笑起来，依他的长相，稍一动则眉开眼笑，"人是唯一能持续跑下去的动物，只有人可以。"

　　"真厉害。"小宁低下头，解开安全带，又重新扣上。往复几次后，突然调转话题说："你大老远跑来骑马，不会错过校对杂志吧。"

　　"我不用做校对。"小马嬉笑着后仰，带点小男孩的狡黠，仿佛他正在讲述的是一场逃学的经历。好几年前，他们在南京见面时，他常是这副模样。

　　"现在杂志是不是销量不行了？"她问。

　　"是啊，各类冲击。我们行业有一个笑话，今年是近十年里最差的一年，却是未来十年最好的一年。"

话虽如此，小马看上去并无忧虑。他们在公路上行驶太久，装饰性的初秋草木已从四周退场，贫瘠裸露出来如一揽肃静的群星。此时，他们把车窗视作一块稍显畸形的画框，午日当空，枯黄在连绵山丘的边缘漫涌，除此以外一无所有。他们好似浏览一场俄罗斯巡回画派的秋日连展，连呼吸都明亮起来。

小宁顺势又提了一些杂志相关的问题，有些是明知故问的。早几个月，她从共同朋友那里得知，小马刚升任副主编，在杂志社握有主导话语权。那个朋友故意压低声音，好像事情背后藏有什么秘密，她竟听出一种讥诮味道来。她不愿意向小马求证，他们之间的交往，向来与彼此的身份无关。

小马也反过来询问她的生活，她来北京读书是否适应，重回校园又是什么感受。她逐一回答，却心不在焉。当小马与司机交涉路线时，她低头翻出了两个紫薯面包。前一天晚上，她特意去买来当早饭，此前一直没有拿出来。她也替小马买了一份，但现在快抵达住宿的农家了，车停下即逢午餐时间，她犹豫着该不该递给小马。她一口口咬完自己的面包，舔掉嘴唇上的屑粉。

四面还是北方干冷的山脉，可她已经厌倦了这千篇一律的景色，她焦躁不安。

"其实，现在还有很多人热爱文学。我有一个朋友……"

她没料到车突然停了，司机一步跨出去，到后备厢搬他们的行李。她跟着小马走到外面，他们抛弃了那个保护舱，如今景物追上了他们，荒凉的碎片淋满他们一身。

她好不容易开口，但没办法把话说完，契机稍纵即逝。她憎恨自己忸怩，又反思刚才的用词，"热爱文学"，她是那么说的吗？谄媚，土气，一个实打实的外行。她笔挺地竖在日光下，秋天使太阳冷却，唯有紫外线毫不留情地在草原上穿梭。

小马把两人的行李放回房间，又安排店家两点钟牵两匹马过来，一匹快马，一匹慢马。小宁等在餐厅门口，看小马穿过一个暴露在山野间的院子，走向她。他的身后，有两个轮胎做的秋千正晃荡着，几个孩子围绕在侧，像随机丢开的一把滚珠。

餐桌上已经摆好一盘羊排，一碟拍黄瓜。

小马卷起袖子，戴上一次性手套，把一块羊排抓在手里。一个男人过来和小马打招呼，看上去应该是当地人。他瘦小的头颅缩在一顶防风皮帽里，双颊碜裂，黝黑的皮肤上几乎划满干纹。

"是这里的老板，贵州人，娶了本地姑娘就留了下来。"小马向她解释，又说，"他在贵州开过面馆。我妈也开过，但没坚持多久倒闭了。"

小宁想着自己的心事，机械地动筷子，掩饰一些走神的瞬间。已经过了饭点，店里顾客不多，只略微有些嘈杂。旁边一桌坐着几个中年男人，偶尔大笑。即便声音不大时，也有烟酒气味飘向他们。除此以外，她还能听见一种来自内部的声音：她咀嚼着过咸的黄瓜，盐与水分反复浸没她的牙齿，食物如在死水恶波中航行的船。她感到一个正在进行的多声部世界，而她从中游离，她在丧失某种平衡。

她蓦地瞥见小马的手腕，不禁说："你好瘦啊。"

"哪里瘦了，我中学就是打架打退学的。"小马伸出手，贴着她的手臂作比较。或许那种突来的亲密带给她信心——她那么纤细，风吹草动都能赋予或剥夺她的信心。此刻她想，她刚积攒的信心能让她再提一下那位朋友。

"我有一个朋友，最近开始尝试写小说。有一篇叫《只要吃了唐僧肉》，我觉得很有意思。他是一个很有才华的人，只不过一直没遇到机会。什么时候……如果有空的话，你能帮他看看吗？"小宁不自觉结巴起来。她审视着自己的语言，惊讶这些话如此钻出了嘴巴，像一队疲沓、心虚的老鼠。

"可以啊，但这个题目不好。"小马说，似乎他编辑的直觉正暗自做着衡量，但他并没有把结论完全说出来。

"你怎么了？"见她脸色苍白，小马追问了一句。

"没什么，有点肚子疼。"她说，又示意不必在乎，这不是什么大问题。

"大概讲一个什么样的故事？"小马问。

"读《西游记》的人，很少有注意白龙马的。白龙马本是西海龙王三太子敖烈，因为火烧了殿上明珠，被西海龙王表奏天庭，受到毒打，甚至将遭诛杀，后来受南海观音救助才免于死罪。其他三人都是徒弟，而白龙马只是一个'脚力'，一个既没地位也没戏份的角色，一团黑暗中嚣张不断的雾气。白天，它背着唐僧穿行于森林险峰；夜晚，它独自一个藏在马厩里。你知道它在想什么吗？无时无刻，它脑子里只有一个想法：只要吃了唐僧肉……"

"这算不上故事，大概写了多长？"小马用提问截断了她。

"我不知道。"

小宁移开了眼睛，餐厅里每天卷动各式各样的暗涌，外面的山和草原却亘古不变。某一时刻，她自问，为什么它们可以稳稳立在那里，对一切都无动于衷？但下一秒，她又意识到此类提问何其幼稚，归根结底，不过是一场感情用事。

餐厅的尽头有一套 KTV 设备，音效相当劣质，时而发出刺耳空响。对于长期生活在城市里的人而言，那只是一个噪音玩笑。有人过去点了一首《冰雨》，他们同时抬头看。那是一个长发男人，一身典型九〇年代的打扮，在附近徘徊已久。小宁以为他也是店员之一，趁午后顾客稀少来寻求消遣。然而，当她又一次抬头时，她看见一个女人手抱小孩，站在他身边。女人将空出的一只手搭在他肩上，宛如一片倒置的半枯荷叶，那轻微触觉点开了三个人之间的关联。现在播放的是间奏，音响的喇叭口冒出淡蓝色的烟，吐着乱战中七零八落的鼓点。他们的耳朵被挑衅，被重置，连带脑中新的潮水悄悄泛滥。

"我先回一次房间。"小宁说。

临行前一周，小马就住宿征求过她的意见。在一通久违的电话里，她再度听到那熟悉的声音。除了习惯把第三声念得短促，小马的发音总体上可以算字正腔圆，富有磁性，好像人生是一场永无止境的朗诵比赛。小马反复向她强调，不要对住宿环境抱有太大期望，那里只有农家乐。假如把几座房子从地图上剥掉，这地方是一派彻底的荒郊野岭。非要说什么乐趣的话，你可以把满天星星想象成希尔顿酒店的顶灯。

她在电话另一端弄出几句笑声，她明白他的讽刺游戏。小马何必如此叮咛，他们对住宿的功能性早就达成一致：不过是睡一觉的事。实际上，他们心照不宣，环境并不是真正的问题。问题在于，既然只有他们两人前往草原，房间应该怎样订。

"都可以"，这是她的原话。其更多表达的是信任，而非一个清晰的答案。

她放下电话，拇指擦过手机边缘的按钮，屏幕瞬间熄于黑暗，她被迫拉回一幅更现实的场景：在宾馆里，肉粉色的墙纸垫在莫奈的《圣拉扎尔火车站》下面，床单惨白，似常用来包裹垂死病人。各个角落都埋伏着黄灯，光线肆意搅乱房间内的色彩，同时也实施了一些善举，例如把黑夜拦于窗外。靠近落地窗的地方，房间里的那个男人——X，兴冲冲地按掉烟，从一具沙发上站起来。

"是马儿吗？" X几乎是跳到她身边。

"不要这样叫他。"小宁打断X，脸上僵硬的肌肉多少显露她的立场。

刚才她在通话中，X突发奇想来掀她的裙子。X做了一个噤声的手势，双手娴熟地上弦，探向她的腰与神秘银河。X喜欢这令人猝不及防的一套，为自己徒手构造的风险感到刺激。她望着 X 闪闪发光的面孔，想到雨天漏油的路面，那股腻彩使她一阵恶心。

"你们下周就去骑马，是吗？"X 问她。

"你不乐意？"她反问。X 不会阻止她，哪怕明知她和另一个男人在草原上度过未知的一夜。她有时故意语带毒刺，但冷讽只不过是对自己的羞辱。有些沮丧的时刻，或某一个气压低得呛人的夜晚，她渴望的是一种自毁。要是能赶在其他人毁灭她之前，赶在奚落的暴风雨刺伤她之前，率先对自己下狠手，便可以留住最后一点尊严。但并不是全然如此，自毁本身也具有一种化学性的快乐。

"你高兴就好啊。他肯定会发我的小说吧，你们不是很熟的朋友吗？"X 穷追不舍。

"我尽量。"她说。

"你自己读了吗？"X 问。

"嗯。我一直觉得构思很好，如果换严肃一点的写法，也许……"

"你平时没空看书，不一定读得懂，但我这篇小说真的不错。你想想看，有人这样写过白龙马吗？还是用这种笔调！要是能发出去，肯定引起关注，一旦我红了，再发别的轻而易举。你不知道，你正在牵头一项多么伟大的事业。"X 止住了她的话，因兴奋而不自知地张开嘴，无数口曾被呼出的烟为他的牙釉镀上一层焦黄。

"我知道了。"她说。

她真的知道吗？

有那么多反省自忖的时刻，搭成阶梯，遭她踩踏着通往一种虚构的自足。但她难道不是在自欺欺人吗？好像只要她还在这个自我洗涤的过程中，一切事情就都还有救。

这一刻，坐在农家乐的房间里，小宁故技重施，试图抓住一个可以被归责，然后终将再被原谅的自我。

小马订的是标准间，两张床中间，有一个实木柜台相隔。相比小马的前期渲染，房间好得超乎她的想象。窗户正对山景，满堂明亮，肉眼可见之处都不落灰。有一台挂壁式电视机，她随手打开，新闻里被采访的人说话竟让她感到亲切。厕所也算干净，一个小小水池足够她洗脸，拧开淋浴喷头，流下的是热水。

在小巧的抽水马桶前，小宁迅速脱下裤子。棉布上落了几滴鲜红的液体，还没干透，是血。血那么明艳，向外扩散，甚至散出一种暗含邀请寓意的温热。她想起多年前见过的罂粟花，长在野外火车轨道边，同样刺眼的红，好像一注意到它便会沾染厄运，浑身长出诅咒的藤蔓。让她羞愧的是，她如此着迷于恶毒的魅力。是被迫超出理性范畴的那一部分，而非恒定日常，真正打动了她。恶心，却也不乏快感。她忍不住呕吐起来，腹部继续抽搐，一阵阵痉挛，是更多血奔涌而来的预兆。

它的学名是"撤退性出血"，紧急避孕药的副作用之一，她在网上查过才知道。同一张网页上，许多人留言说到紧急避孕药的危害。X自私的热情与凌辱无异，而她的错在于纵容。好多年里，由于不知道自己要什么，她总是轻易为别人的需求退避三舍。鲜血、疼痛、器官的内朽，还有那些暂时没有暴露、更无法归纳的伤害，都是她应当付出的代价。

流血将持续三到五日，假如七天尚未停止，她必须去医院问诊。

现在，她透过窗望见马已经牵来。

她当然要去，她愿意在奔马颠簸中失焦，每一寸加剧的损伤，都会被视作与X进行的无谓搏斗。当她在黑洞之中无尽下落，她终于得以将自己全部寄托于一种深不可测的力量，并因为已经承担世俗标准下的失利，而轻松摆脱了其余负担。

他们候在门口，小马和管马的男人，一边嚼着路边随手摘的沙棘果粒。他们谈论如何养马，在这片草原承包一匹马要三万。见小宁出来，他们的话题渐渐松散，转而聚焦于她身上。

马夫扶她坐上一匹白马，另一匹棕色的快马则属于小马。马顺从地穿过大路，她在两米高的视野之间上下颠晃。草原上的风如此雄心勃勃，非要钻进她的毛衣，靠施暴来彰显存在。她冻得瑟缩，但这只是一个开始。他们途经"蒙马特小镇"的破落招牌、指示京北第一草原的石碑、一丛丛枯黄的麦，小马的马突然跑了起来。

白马总要低头吃草，马夫在后面呵斥，她凭缰绳拉紧马头。她尝试着照做，可白马不服气，三番四次摇头甩开她。她没什么力气和白马较劲，她的意志力在前几天已耗尽，何况腹内流窜的疼痛极力羁绊她。她不时需要腾出一只手，按住肚子。像平时很多时候一样，她在忍受——她总能蒙混过关，可每一次成功忍受并不能将她变成一个真正坚韧的人，反而引她滥用坚韧，把它作为一种逃避的手段。每一天，每一年，每一段任何分寸的时光流逝，赋予她的都是一团不断膨胀的恐惧。她是黑雾的核心，而半径时时增长。

"怎么样，可以稍微跑一跑。"他们踏入更广袤的草原，小马骑马折了回来。

"跑不了。"她指指马，像在说这并非她的问题。

"多少都能跑一点的，别怕。马真的迈开跑时，其实很平顺，不会颠。肯定能打开一个新世界，比吃药管用多了。"小马问，"你最近好点了吗？"

小马说的是她的抑郁，有段时间，她每天深夜都失眠、哭泣。小宁几乎没向人提过，倒是机缘巧合之下告诉了小马。她特意补充说，没什么原因，不是基于感性上的东西，只是哭泣本身让她放松。

"应该没有更严重。"她笑笑。实际上并非如此，抑郁更严重了，近来她开始考虑自杀。然而，他们这种朋友关系，彼此之间不流行刻意的谎言。讲到不愿提及的部分，只淡淡绕过。

"我们往前走，两三公里之外有一个茶棚，到时候可以休息一下。"小马朝前一指，纵马先行跑去。

不知何时，马夫不再跟随他们。某种程度上，马夫的不在场使草原更完整，如今剩下的一切都是让她倍感亲切的。她不用再听口令拉住白马，也不用因拉不住白马而被见证她的无能。野草漫无边际地外铺，她行走其中，感受它遥远边界的拓张。

白马始终走得很拖沓，对它而言，脚下杂草比前方道路更有诱惑力。她试着大喊"驾"，双腿狠夹马肚子，她甚至卷起缰绳抽打白马的脖颈。白马无动于衷，反倒是她心生内疚——那出于人类自作多情的共情力，本质上是一种愚蠢自大。她知道这些，她都知道，可她没法阻止内疚的情绪。

见她没跟上，小马不断折返回来。

"骑马感觉怎么样？"小马笑着问。

"说不上来。"她实话实说。

小马教她如何用缰绳控制方向，又告诉她，马微跑时颠簸最厉害，这时候适合练起坐，即人跟着马的节奏一同起落，逐渐便可越跑越快。小宁照做，但心不在焉。她不想跑起来，那些骑马致死的故事时时鞭打她的神经。小宁不抗拒死亡，她排斥的是那种死法带来的疼痛，那对疼痛的一点逃避暂时使她活下去。

桦林又是截然不同的一处，地上落满彩色碎叶，像婚礼上拉响礼炮后纷飞的彩片。走平地时，小宁暗想，白马是一片懒散的云。到了桦林的上坡路，她不能再以这种眼光打量白马，因为她能清楚感受到，白马在爬坡时深深喘息。她就坐在马背上，跟着一道道呼吸而波动，她好比命运加在白马背上的一大块砝码。

换作白龙马，又会怎样走负担重重的路？

一个月前，X对小宁讲了白龙马的故事。当时他们在一家老北京火锅店，因为好奇点了一份生马肉。摆盘布局如一座微缩园林，马肉摊在中间，白肉纹是紫红薄片上神秘的迷宫。她曾听说马肉很酸，不敢动筷子，于是X一个人夹空了盘子。

　　X始终在讲他的小说，他是那样津津有味，所有神采都受着一股向心力所牵引，指向那篇尚未发表的《只要吃了唐僧肉》。X自诩是精通黑色幽默的天才，并从小说中抽出一些段子作为证明。X那么自信，几乎无从发现她的陪笑多么勉强。

　　X自顾自演说，她久久盯着京式铜锅失神。隆起的炉筒就像一座休眠火山，火星从筒口溢出来，微弱而迷幻。下锅时，有些肉不慎沾在炉筒上，迅速被粘住。她想起过去在《封神演义》里看到过的炮烙，用的是同样原理。当温度足够高时，即使是一个活人，也会在瞬间灰飞烟灭。

　　她差点哭出来。没有特别原因，也许只是因为每天哭泣的钟点到了。

　　她的大脑模糊地运转起来。在某一片抽象情境中，她化身白龙马。白龙马是被亲生父亲送入死亡审判的，临刑前，有人在乎过它想些什么吗？即便获救苟活下来，也只被当作一件工具。难道它不想吃唐僧肉吗？难道它不想长生不老、向每一个凌辱它的人复仇吗？或者，吃唐僧肉只为了毁了这次自我救赎的机会，毁了那些人对它错误的期待。没有人知道白龙马的感受，也没有人真的在乎，除了她——她深知白龙马如何迈出艰难的每一步，如何在荒寒夜空下不自觉地落泪，那个诡异的念头又怎样日夜盘旋于它脑海中：只要吃了唐僧肉，一切苦难就都结束了。

他们到黄昏就回头了。

白马始终没跑起来，近三个小时，她根本不知道自己在做什么。小马意犹未尽，盘算着明天再去哪里骑马，她却暗中庆幸今日任务终于完成。

晚饭仍在那家店吃，只不过把羊排换成一盘京酱肉丝。他们吃得很快，但天黑得更快。放下碗时，她惊觉外面一片孤冷。黑夜翻新了村庄的模样，她真切感到，曾经熟悉的世界已被隔绝在千里之外。

她执意要去村里小卖部逛逛，小马提过，在小卖部能买到城市禁放的烟花。村里没装路灯，小马陪她穿过幽暗的道路，尽可能避免踩到马粪。坝上草原昼夜温差大，尽管才十月初，气温已降到零下。他们早有心理准备，厚外套裹在身上，但寒冷如针，刺破了他们的预期。小宁往小马身边靠拢。她想起几年前在南京，同样凛冽的寒夜，她和小马走过一段路。行程将尽时，她问小马是否可以牵他的手。

黑夜如一枚螺丝旋入草原，每一寸深度都激起一分冰冷。他们好不容易熬到小卖部门口，门上了锁，电招牌已经熄灭。他们看见一些残破的广告糊在墙上，风掀动边角，纸张发出瑟瑟的声音。三只鸭子蹲在路边，分嚼半团圆白菜。他们面面相觑，当她移开目光时，发现月圆如一粒暗扣，夜色中的动物群更是隆重起来。他们辨认出牛、羊、鹅、猫，余下的则是庞杂的马群，黑亮似雷电的、额上滋长花斑的、格外矮小的、躺着或站立的。那些白日里被挑剔过的马匹，那些临时卸下标签的商品，尽情分散在这刺骨黑夜之中。

他们迅速折返住宿的地方。野骑旺季早已过去，整幢楼只剩他们一间房的灯火。房间里没装空调，控温无能的缺陷在夜晚暴露出来。他们倚躺在各自床上，等外来的寒意从身上自然驱散。

"太冷了。"他们说。

小宁站起来，为腹内触电似的突然疼痛。她冲进厕所，在光裸的下体间看见更多血迹，一条半干的血线从左腿内侧滋生。原本垫在内裤上的纸巾几乎湿透，结着暗红的色块，像某人临终前的血写遗书，极端而不可理喻。她已恢复平静，从生理上适应了这残暴的冲击，以及谋杀的隐喻。

厕所隔音很差，她听见小马在外面的动静，她知道自己也在被倾听。或许小马是故意弄出一些声响，为了遮掩她排泄的声音。她把一张张新的纸巾叠成长方形，垫进内裤。她想，要是带卫生棉条就好了，但谁能预料此刻的流血呢？

她出来时，小马已将带来的一条绒毯铺到床上，浅棕色，摸上去如一头被驯服的动物。

"冷的话可以躺过来，你也会喜欢毯子的。"小马咧开嘴，熟悉的笑法，有段时间曾带给她安慰。

"我才不冷呢，不躺嗟来之毯子。"她拒绝，假装这是一个关于面子的玩笑。尽管她知道，他的邀请不含任何暗示。在流逝的好几年里，他们的性别差异已经淡化了。小马对她而言不再是个鲜明的男性，对方也如此看待她。他们之间似乎存在一种默契，"魅力"一词过于俗套，在他们已构建的关系中不值一提。

"随便你呀，冷了就来求我。"小马顺着玩笑。

"主要不想一觉醒来看见你的脸，太扫兴了。"她也调侃。

"那你想看见谁？"小马问。

"谁都不想见，到底年龄大了。"她稍稍愣了一下，又解释说，"以前觉得自己很擅长爱，可以教任何人学会爱，现在发现不是这样。有的人就是缺乏爱的天赋，他们不仅不能被教会，还反过来奚落别人。"

她好像突然变得严肃，小马忍不住笑出来，"哪有那么严重，你不就是在谁那里受了点挫折嘛。"

她不作声，蹲下来，从行李箱翻出睡衣、洗面奶、还有其他构成她日常必需的东西。

她在箱子尚未拉开的黑洞中摸索。一根细长的钢丝扎进她手心，将她从轻微的麻木中唤醒。她犹豫再三，把它拿出来，偷偷摆在柜子一侧。这根变幻莫测的线段，这条通往另一个世界的捷径，她对它再熟悉不过。那段时间，她频繁想着死亡——不是因为痛苦，她不是为了逃避什么事才想到死。只是有一些瞬间，所有事物在她眼中失去了价值，一个具象世界忽然降维为扁平。她在虚无之中溺水，对她而言，步入死亡与吃一次饭毫无差别。她当然想尝试死去，仿佛只要作出这个行动，就可以打破一个无尽重复的困境，就能找到出路。于是从上周起，她开始随身携带一根钢丝，等待虚无巅峰的冲击豁免她对疼痛的恐惧。那时，她将把钢丝系在脖子上，奋力自绞，以欢迎最终窒息的莅临。

"这是什么？"小马察觉到钢丝。

"一个小工具。"她回答。

"这能干吗，衣服都晾不了吧。"小马嬉笑。

她几乎掏空了箱子和背包，所有东西都被搬到柜子上。

一堆塑料袋之间，混着早上吃剩的紫薯面包，她始终没递给小马。

小宁怔怔发呆，她永远不知道，那些令她破碎的契机究竟怎样到来，那些时刻到底具有什么样的特征，使她不由自主卷入一种抽象的自焚之中。

"你能不能加他一下微信？就是我中午和你说的那个朋友。我答应过他，把他稿子推荐给你们杂志。以前我当律师的时候，他帮过我很多忙……"小宁吞吞吐吐地开口，他们之间还从未发生过任何状况，比得上眼下谄媚的求情更令她难堪。

"可以啊。"小马一口答应，打断了她的叙述。

沉默猛地从房间里坟起。她突然意识到，尝试许久的遮盖不过是徒劳。小马早就察觉了她的状况，以及那些深夜落泪的原因。她在迷宫中逡巡不止，极力挣扎不过是闹剧上演的一种方式。

第二个白天，小马从小卖部买了烟花。

闹钟在这难得的假期罢工，小宁醒得很晚，睁眼时小马已带着半天经历回到房间。她一边刷牙，隔着玻璃听小马讲话。他说起小卖部门口卖红枣的胖男人，一群鹅如何摇头摆尾地绕着他。窗外草原上，紫外线依然放浪地波动，轮胎制的秋千依然受孩子们的欢迎，是碰撞与吵闹，往这枯草场注入最后的活力。

"你为什么不试试写作？"

"什么？"

当时他们站在空地上，专注地仰着头。天空好像盖了一层稀淡的磨砂纸，使她想到一次随意的告别，一片轻量级的海，一个转瞬即逝的夏日。

不远处，爆竹纸筒壳端正地摆着。四十发子弹已上膛，一团幽暗的火正在引线上攀援。许多年里，他们以近似的姿势等待过太多东西：开奖、晋级名单宣读、别人的婚礼、更早以前升旗仪式的完成。五、四、三、二，永远如此，鼓面越绷越紧，人生一帧帧虚耗。

巨响终于接二连三地炸开时，她才发现效果不过如此。化学碎屑在高空纷飞，看不出颜色。焰火之间只有淡淡白烟相衔接，远看如一张正在扩大的蛛网。

她从没有想过结果是这样的。她原来还以为，促使她结束一切的会是痛苦呢，那种实际的、具有铁块分量的痛苦。而事实出人意料，到最后，万物的价值与边界都丧失殆尽，只剩一片虚无。此刻，她观看自己的生活，就像看一场沉浸式的综艺节目。

"我说，你为什么不写作？"小马又问了一遍。为了压过焰火声，他几乎在叫喊。

"我啊，我的天赋不在写作上。"她也大声回应。

迄今为止，她从各种人生过客手中悉数收获惊赞，她知道自己具有某种天赋，善加利用可以促成许多事，并不限于写作。然而，没有人明白，此时她这样讲出来，实际上并不是出于自负，而是一种无望。

焰火仍在粗暴地喘息，硫磺的气味向四面侵占。她想起小时候过年，街上弥漫着同样的气息。她喜欢深吸那些余烬，任凭它们钻过湿暗的鼻腔，涌入肺仓，经封存成为一种秘密的安全感。从古到今，人们总在新年启用最好的姿态，蹬着时光的墓碑而上，使自己焕然一新。时间的剖面构成了琥珀，无数双熬枯的手冻在里面，试图抓紧一个掩耳盗铃的盛大节日。她也曾这样做，她甚至还尝试过别的，说服自己去忘记各种规律的复杂性，但清醒在追赶她。总有一些突如其来的瞬间，她意识到被刻意忽视的那部分才是真相，进退维谷。

"你有没有想过，一座高楼倒塌的时候，会是什么样子的？"

她侧过脸问小马。小马正目不转睛地望着尚未驱散的硝烟，她也跟着抬头。北方的天空高远，长距离使时间走形，事物因流速减缓而显得异常清寂。再转向小马时，她惊觉小马也已长了不少白发，他们无法重新成为在往日散步的人。

回城汽车预约在晚上七点，下午由此变得空落落。小宁点开地图软件，用两枚手指滑动收拢屏幕。地图标尺被拉成原来的好几倍，她看见几公里之遥的景区，闪电湖、千松坝森林公园。读中学时，她从地图册中翻到过千松坝的云杉林，枝叶蓊郁，苍翠伞盖频张，流水将绸缎般的烟雾轻轻举到树腰。她喜欢那些经开发的景区，它们不动声色地躺在地图某处，等待任意游客落入它们的射程，毫不挑剔。开发意味着一种秩序，一种经改造后真正的一视同仁，并暗含一层保护色彩。

她没来得及提议去景区，马夫已牵来两匹马——小马早已做好安排。

仍然是两张熟悉的面孔，细长，精瘦，浑圆的眼睛在日光下闪烁不定。大概马夫认为，昨天几个小时的博弈足以让他们和这两匹马形成默契。

"做完今天，我们也要走了。"马夫吐着烟说。

"去哪里？"她惊诧地问。原来马夫们并不在草原过冬，这里更像一个露天市场，需求与供应在此冷淡地交汇，相互填补后又各自离去。

"回去啦——"马夫悠悠开口，像往井里漫无目的地丢下一粒石头。

小马和马夫还在攀谈，探讨关于马匹的一些的细节。她能料想日后这些逸闻被传递的情形，在某一次聚餐时，话题突然转到小马手里，于是他开始复述和马相关的一切，亲身经历或道听途说的。再过一些年，小马撞入婚姻，接着便如一个寻常父亲般对孩子谈起往事，马与草原均化作粼粼闪屑，孵化出一段浮夸的睡前故事。那时，他还对奔马抱有热望吗？无论如何，他不可能再像现在这样，把缰绳当作生命唯一的保险。又或者，日常生活将编成一道绳圈，无数此起彼伏的暗力对他轻念紧箍咒，他永远失去了远赴草原的契机。而他曾经心爱的马匹，受困于无尽循环的回忆镜面，如在埃舍尔的阶梯上奔腾不息。

到了那时候，小马还会记得她，记得种种晦暗的线索吗？

她猛地跳上白马，撒松缰绳，双腿对马两侧的肋骨发动凶狠一击。白马尖利地嘶鸣，把超负荷的剧痛以声音的形式压了出去。几乎出于本能，白马竭尽全力地往前飞奔，仿佛身后有什么必须甩掉的追兵。

她不由得腾起一股畅快，使她的肢体如花瓣，在这春日突然降临的错觉中明媚地舒展。白马很快适应风驰电掣，越跑越轻盈，嘘气成云，乘风上天。她用手轻抚杂乱的鬃毛，她能摸到马脖子下滚烫的鲜血，那条绕着淋巴涌流的红色深河。谢谢，她在心里说。

她嫉恨过的往日终于也被抛开。她曾困扰过的事，譬如她和 X 住过的宾馆里，灯光总是调不亮，譬如那些爱与不爱的问题，如今都被涤荡一空。包括她与 X 最近的一次告别，她在彻夜失眠中等来了黎明，早晨六点，她清洗完疲惫的身体，吹干头发。她摸到口袋里有半张纸，就顺手给 X 留下便条。"我先走了……"她写下，旋即又划掉，浓密的黑色水线织成一格格方块，牢固地盖在字迹上方。她把纸张翻面，重新写到，"服务很好，下次再点你"。为了使效果更逼真，她还留下一张拾元的纸币。然后，她要走了。忘掉他们之间那些游戏，假装她是别人的妻子，由 X 对她进行攻占；假装各类角色扮演，假装他们曾真的相爱。

她何其努力地参与过一场场对抗，在瞥清真正的敌人之前。一开始会有点难，甚至出现反复也在所难免，但此时，白马来了，呼啸着把她从那座沉睡的深渊中拖出。

在超验性的狂奔之下，她持续的腹痛被一股热力所替代。

她感到身体的外延在扩张，马背湿漉漉的，似有蒸汽正在感染她周围的世界。枯草在底下起伏不定，一切景物都落到遥远之处。四面空荡荡，其他动物不知所踪，就像它们从不存在般无迹可寻。

终于，她低头张望。她看见自己体内的血液正向外渗透，是比前一天更暗的红。一丛丛雪白的马毛如遭受一场瘟疫，很快，大半匹马都被染成暗红色。残余的白马还在飞奔，而血也在生生不息地流淌。

好多年前，她私下总结过一个区分怪物的规律：它们的血不是鲜红的。那时她父母总不在家，她一个人对着电视机度过漫长时光。她见过无数怪物破裂，有的外表和人类毫无差别，它们的残肢里淌出翠绿、黑色、靛蓝的血液，黏糊糊的，像一团果冻胶。但这个方法也有弊端，除非把它切开，才能知道它流的是什么颜色的血。

现在她想起这个规律，并非用以判断自己是否已成了怪物，或思考对她而言，世界是否已经发生了某种细微的倾斜。她只是突然闯入回忆，既有经验构成一个新的视角。她才发现，那些曾经看似理所当然的事，原来那么反常。她竟然那样认真地注视过种种怪物，当时同龄少女都在户外交谈、散步、探讨爱与被爱的问题。

VIII

以弗所
乐土

以弗所

以弗所乐土

在伊斯坦布尔，我们犯了一点小错。补救措施并不复杂，不过是让我们连续三次横穿博斯普鲁斯海峡。十月初，雾雨在船舱外大口喘息。我们靠窗坐着，把买错的船票捏成一团，仿佛这象征性的暴力能解决一切问题。

桌上摆着牛肉 Kebap，上一个口岸买的。此刻已被切成好几块，我们各自认领相应的份额。坦白说，胡萝卜丝有点馊，肉老得像来自八十岁的牛，饼也干，甚至比不上本土伪造的土耳其卷饼，但我仍说好吃。这都是基于以往经验，若想旅途愉快，必须神化一些平庸的东西，实际上自欺欺人也是在日常生活中保持乐观的重要秘诀。

"前面就是海峡二号大桥——'征服者苏丹穆罕默特'，世界第六悬索桥，取名自十五世纪奥斯曼帝国最伟大的皇帝，十六岁就征服了君士坦丁堡……你们看那边，梅如里，如里梅……哦，是如梅里城堡。"阿瓜说，兴致高昂使他有点走音。

"哇。"小绿说，伸手把保温瓶递给阿吉，"帮我倒点热水。"

"自己倒。"阿吉说。

一分钟后，小绿抱着保温瓶回来。她把粉色杯盖倒置，热水从雾气腾腾的瓶口泻下，像九十年代流行的人造喷泉摆件。小绿端起杯子，吹着气，慢慢地抿一口水。无头保温瓶立在一侧，上面掉漆的 Hello kitty 正盯着最后一块 Kebap，但 Hello kitty 知道自己没有嘴吗？

只有阿瓜一个人在看那座名字拗口的城堡。它变得越来越小，接着消失，似一位隔代长辈化作一颗星辰的过程。我、小绿、阿吉坐着，冷风从云端赶来，制造并奚落我们的凌乱窘态。小绿抬手，摸了一下锁骨中间。这是钢铁侠装能量堆的位置，现在被一枚丑陋的金戒指占据。戒指很旧，疲态尽显，戒托上镶一粒宝石——暗红色，使人想到一道被火山岩浆污染的深渊，或美杜莎一只被刺瞎的眼睛。

"你就不能把那个戒指丢了吗？"我终于忍不住了。

"我花二百里拉买的，凭什么丢掉？"小绿脸色苍白。

"它不干净！"我说，"自从买了它，噩运接二连三。

掉伞、丢门票、割破手指、被餐馆骗钱、买错船票……接下去你还想发生什么？"

"这个戒指是挡灾的，不然会有更坏的事。"小绿的回答轻得像自言自语。

"得了吧，上面还有血迹，你看不见吗！那个女人给你的时候，我就知道不是什么正经东西。"我不自觉提高音量。当时我一再劝阻小绿，想替她把诡魅的场域拦在命运之外，可她根本不领情。她飞快地瞥了一眼戒指，捏紧手心，一副志在必得的模样，就差跟指环王里的咕噜一起念出"My precious"了。

"不会是血的……"

"那这一摊是什么，红宝石流出来的汗吗？"我想去拽她挂在脖子上的戒指，她往窗边一倾，躲过我的手。语言交锋的极限不过是煽风点火，一旦付诸行动，便动了真格。小绿侧身望着我，四面过于丰沛的水将她双眼染成沼泽，诧异、惊慌、委屈、厌恶，墨绿色的水藻逐一翻腾其中。

"你们差不多可以了。"阿吉淡淡地说，好像只是在念一句把周围音量调低的口令。

"她一直这样，喜欢对别人指手画脚，我没见过更刻薄的人了。"小绿轻声说，一边往阿吉身上靠。

"随你怎么说。"我尽量显得不在乎，大部分争辩都是浪费时间，参与者始终固执己见。他们无法相互说服，假如用料过猛，双方更可能相互憎恨。

"你知道别人是怎么看你的吗？"小绿稍加犹豫，又说，"读书的时候，大家都不喜欢你。你以前总问我，为什么我们周末溜冰、去和平公园划船都不叫你，你自己不想想吗？"

这是我和小绿认识的第十五年，关系的起点在于初中课堂。那些年里，小绿的头发短短长长。我见过金属牙套扣进她口中，过两年又拆下，露出经过规训的新秩序。时间物化为纸张的形式，装订成册，而过于庞杂的数量意味着有一些页码永远不会再被翻到——比如和平公园，我完全不记得这回事，我曾经需要过一个如此无聊的邀请吗？所幸时效已经过了，这些问题变得不值得讨论，眼下对我造成困扰的是伊斯坦布尔连日的阴雨。土耳其人透过烟霭滤镜向我们张望，小心翼翼。在他们含而不露的评判中，我时常产生一种幻觉，纤细的雨被固定在我的肢体上，以致我成了一只满身绒毛的怪物。

穿过舷梯，金角湾终于来到我们足下。这是正确的陆地，尽管它看起来和河岸另一侧并无区别。到处是幽光缭绕的橱窗，出售咖啡、冰激凌、软糖。土耳其软糖几乎吸聚了最鲜艳的色彩,有些颜色可作推断,比如是抹茶粉葺造了绿,绛紫色则出于玫瑰干的功劳,但更多色调仍在神秘的范畴内。它们静卧柜中,像一群冷眼旁观的古典新娘。初到伊斯坦布尔时,我们试吃过软糖,那种绝对的甜简直是对牙龈的霸凌。

阿瓜是整个行程的导航员,这项任务对热情高昂的人来说可算作一种褒奖,而阿瓜正合适。阿瓜一米七五左右,两百斤,偶尔他稍稍显露博古通今,使我们感到,这具大仓库确实储量丰盛。有些漫游的时刻,阿瓜突然说起某一段土耳其历史,西突厥的残余势力如何从苏定方麾下逃跑,或者十字军东征时期,奥斯曼帝国怎样顺手占领了君士坦丁堡。阿吉总不失时机地竖起大拇指,以一种明显开玩笑的方式大力称赞。他们是大学同学,交往之际早就形成了默契。

"还有多久啊?"小绿问。

"五分钟。"阿瓜说。

"你前面就这么说……"

"这次真的五分钟,你们看,那个圆顶就是加拉太塔。"

顺着阿瓜手指的延长线,一座灯塔从颠荡夜色之中显形。它似乎造在山上,制高位更为它修长的特质锦上添花。一些民居绕于灯塔底部,光线流溢,徒劳地向上折射,但未能真正抵达高空，只在人间制造一场幻景障眼法。

由于搭错船，余下的时间仅够粗糙一览。我们乘电梯直达高处，末几层靠旋梯上去——是木地板，厚重、旋角偏大，仔细辨认可见加工前的纹理。侧墙嵌满石块，供应一种遥远山洞的错觉，但又不堪一击：嘈杂声响、前人的香水味，无一不解构了建筑的原始性。熬过一段极窄的楼梯后，环形瞭望台突然冲开我们的视野。

"怎么样，加拉太塔还是值得一看的吧。"阿瓜双手扶栏杆，微微抬头，像要收拢远处的广角夜景。

"我有点恐高。"小绿说。

我们绕着外圈露台走，夜夺走属于城市的大量光波，反而使剩下的一部分更鲜明。茂密的灯火直往海峡之中剥落，映出一座新的、歪歪斜斜的水底城市。近处，露台铁围栏上缠绕着 led 灯串，蹦跳、闪烁，你能感到某一个盛大的节日正在靠近。

"距离上一次热那亚人用石料修复加拉太塔，已经七百年过去了。"阿瓜边走边说，行至另一侧，我们发现小绿和阿吉不见了。

"那两个人呢？"阿瓜问。

"该不是谈恋爱去了吧。"我知道小绿对阿吉有好感，或许余怒未消，语气泛着酸。

"阿吉喜欢的类型很单一，应该……不是小绿这一款。"

"那是哪一款？"

"高、白、瘦，你看过他几个前女友就知道了。"阿瓜说。

"这一款有谁不喜欢吗？"我笑起来。

"不，他的偏好有点极端，他最高的女朋友有一米九二。"

"他到底是个什么样的人啊？"我问。此次同行的两位男性都是小绿的朋友，与我素未谋面。阿瓜整日把一副滚烫衷肠挂在脸上，阿吉虽也爱开玩笑，却总不冷不热，和他讲出的语言保持着疏远距离——似乎他只热衷于摆弄词语，制造戏剧性，他参与世界的基本方式是游戏。

"骨子里比较现实吧。"阿瓜皱眉想了想，"也不能这么说，现实和他家里情况有关……其实我认识阿吉这么多年，也经常不知道他在想什么。"

"只要不想什么坏事就好了。"我说。

"那不至于，但是他最近的状态特别古怪，我还挺担心他的。"阿瓜说。

瞭望台的内部建成一座小卖部，小绿从室内钻出来，手里拿着一袋软糖。那枚戒指紧紧攥住我的视线，不仅要求我看到它，甚至故意展露出居心叵测的一面，似是炫耀。

我同样不满于小绿把戒指串成项链，这种加工相当矫作。她以复杂化的仪式将其固定为一种超现实力量，在此过程中，她所寄赋的虔敬，恰是迷信与贪婪的体现。

"你们也吃一点？到时候我们用公款结算吧。"小绿把塌陷的袋子塞给阿瓜，阿瓜掂量几分，又递回给她。

"我兴趣不大。"阿瓜说。

"试试看嘛，口味很多，反正也不贵。"小绿继续尝试兜售软糖，"我们赶上好时候了，土耳其里拉暴跌，汇率兑人民币几乎一比一，稍微花点钱没关系的。"

"公款找阿吉要，钱在他那里。"阿瓜说。

"阿吉人呢？"小绿问。

在瞭望台的北角，我们找到阿吉。他用肋骨支撑栏杆，上半截身体往外探出，脸正对着塔底一处漆黑的洼地，仿佛某件重要物品刚掉落，而他尚未缓过神来。阿瓜走上前，拍了拍他的右肩。

"瓜哥，好久不见。"阿吉转过来，想笑却没有笑开。

"好久个鬼，你这样太危险了。"阿瓜说。

"没事，我就测测风向。"阿吉说。

"所以测出来是什么风？"小绿狐疑地问。

"真想知道的话，你得亲自来测。"阿吉望向阿瓜，"我们走吗，还是再待一会儿？"

"你要吃软糖吗？"小绿慷慨地再次交出纸袋。

阿吉随意捏起一块，棕色胶体包住果芯，似一块来自远古时代的琥珀。他整个儿放进嘴里，面不改色，咬肌按节奏鼓起。"味道不错，甜的。"

"你刚才在想什么？"阿瓜问，实际上我们都暗自好奇。

"我在心算，把一个铁球丢下去多久能落地，高中常做的物理题。"阿吉调侃道。

高处常逢长驱直入的冷风，我们久未言语，逐渐忘却此刻的处境。正当我们即将放弃正确答案时，阿吉突然提到了那个地方：以弗所乐土。

一种难以解析的表情自颌骨浮上来，神秘、同时接近动物性的诚挚。他环视我们一圈，目光在每个人脸上暂驻，好像在确认什么。阿吉问，那到底是什么地方，难道你们不想知道吗？

事情要从第一夜说起——没有山鲁佐德和残暴的哈里发，开端看似平淡无奇。我们订的酒店位于伊斯坦布尔老城区，后花园紧邻闹市，离蓝色清真寺、圣索菲亚教堂都不远。当时我们刚安顿完行李，新的空气使我们加速燃烧，胃部残存的飞机餐已不足以支持耗能。在数间列为星标的餐馆之中，我们挑出最近的一家，指望导航能引领我们到达。

很多年前，潺潺水声总在夜晚侵扰人们的耳膜，猜疑与恐惧丛生于这座城市，关于幽灵的传闻不胫而走。直到上世纪六十年代，一支考古队将一座地下水宫提至人们的视野之中，但伊斯坦布尔的晦暗菌斑并未被拭去，反而引出更多灵异事件。我们从耶莱巴坦地下水宫前走过时，不由得毛骨悚然。想象一座一分为二的城市，上面堆叠了皇宫、热闹商贩、造型灯、纪念浮雕、郁金香与铃兰——总之都是历史将引以为荣的部分；而下面则是循环奔流的黑水，垃圾、老鼠、混合各种黏液的水流汇成一股。

我们是在地下水宫附近注意到那个女人的。她的褐色面纱与夜景同调，使她具有变色龙的功能。我们辨认许久，才意识到她在跟踪我们。小绿戳了戳阿吉问，现在怎么办？阿吉不语，我只好接过话说，我们这么多人，大不了绑架她领赎金。小绿问，她到底想干什么呢？我说，要不你去问问？阿瓜说，大概率是乞讨的吧。小绿有些气恼，仿佛唯独她读懂了某种神谕，我们的乐观显得不可理喻。小绿放低音量，嗓音却极其尖细。小绿说，她好诡异啊，好像已经死了。

就在这时，那女人穿过马路，赶上了我们。五个人面面相觑，尽管无法窥见她的全貌，照面的交汇足以让我开始信任小绿的直觉。她像一具亡魂立于空旷街道，过去、未来皆尽隐没。当她看向我时，我感到身体变得飘忽起来。一串含混不清的声音从面纱下飘来，恍惚之际，我朝四面张望。交通灯在闪烁，各种植物飒飒作响，风不时把枝叶上积攒的雨水泼向地面。世上的一部分规律仍然成立，可那个女人的存在使一切显得不真实。

　　在我们之中，似乎只有阿吉明白她的指令。那个女人再次动身时，阿吉竟追随而去。我们弄不清楚具体情况，只好也跟上。没有人开口讲话，与其说胆怯，不如说是出于某种毋庸置疑的神秘力量，它按住我们的意志，当下唯一的选项不过是顺从而已。

　　我们逡巡于幽暗的小路，转弯、下楼梯，步入黑暗，又重新被橙色路灯所宠爱。不知过了多久，我们被领到目的地：一个巨大的帐篷。彩色防水布从顶端罩下来，但夜抛落一视同仁的昏暗，削减了颜色的意义。帐篷里有一些散乱的人影，家具古朴简单，红蜡烛分头立于器物之上。女人带我们进门，没有引起任何人的注意。

　　我逐渐意识到，这场乱流或许与吉普赛巫术有关——虽然眼前的情境和相关电影中截然不同，女人落座的桌上空荡荡，水晶球之流的法器缺席，也没有大量廉价珠宝来堆砌魔幻的权威。她盯着阿吉看了一会儿，用英语缓缓说，如果你能等到下一个新月，痛苦就会过去。

小绿率先打破静阒，问她，什么痛苦？女人严肃地回望她，念咒似的说，死亡的阴影。沉默持续横亘于我们之间，烛影摇晃，一团黑色的火焰在阿吉脸上伸缩。女人抓起阿吉的手，重复道，切记，等待，你要等下去。

帐篷里的时间超越线性，我们不知待了多久，只记得夜晚愈发阴凉。我们的感知力沿一个向下的箭头滑坡，但每个人还是问了各自在意的问题。针对我的命运，那个女人给出一个模棱两可的负面判词：你永远不会拥有你想要的东西，勉强也不行。我不大在意，只要时间够久，我就能把这些忘记。而在小绿的环节，那个女人用一种陌生语言唤来两个人，从其中之一的手上取下一枚红宝石戒指，并报出售价。我仔细打量来者，是两个扎着冲天辫的男性，连驼背的弧度都如出一辙。猛然之间，我察觉到他们的秘密——这两个是连体畸形人，两段粘连的失败之作，一丛来路不明的对寻常世界的仇恨。

临行前，那个女人突然想起来什么似的，递给我们一张写有地址的纸片，顶部是花体写就的"以弗所乐土"。

她说，如果你们的行程经过以弗所，一定要去这个地方。只要到了那里，你们心中的困惑自然都会解开的。

"所以我们确定去以弗所了？"阿瓜问。

"对啊，干脆别去卡帕多西亚了，热气球哪里都能坐。"我说。

于是一个涉及以弗所的补丁打进了我们的既定路线，原本打算坐飞机东进，观摩安纳托利亚高原的岩石与湿壁画，现计划改为从安塔利亚开始自驾，经以弗所到伊兹密尔、阿拉恰特，立志把土耳其西部地区一网打尽。我们租了一辆丰田陆地巡洋舰，白色的，敦实又牢靠，有时我误以为我们坐在一头白熊体内。阿瓜和阿吉轮流开车，阿吉总是心不在焉，当他掌车时我不禁提心吊胆。

汽车驶入 D400 沿海公路，在我们左侧，大屏幅的地中海被礁石轻轻托起。远处悬浮一条闪烁的蓝色弧线，久违的日光碎在海面上，随行车而变幻。另一边舞台则完全交给嶙峋石壁，各色树种挣扎于缝隙之中，运气好便生长开来。阿瓜将蓝牙连上音乐 app，从 Buckcherry 到 Ryan Star，美式鼓点多少打消了近来的一些沮丧。

从安塔利亚到费特希耶，车程大约六小时。黄昏莅临时，我们到一个叫卡什的海边小镇暂歇。顺着石阶下行，海水的气味萦绕过来。一间间饭店亮起招牌夜灯，陌生字母在半空中发光。

"吃晚饭吗？我们有新打捞的海鲜。"一个穿白色长裙的土耳其女人用英语问我们。

"等会儿就回来。"阿吉顺口一说。

"等你。"女人露齿一笑，与海风交错形成一种协调的韵味。

二十分钟后，我们坐在一间临海的餐馆里，盘中盐煎比目鱼注视着我们。由于风的缘故，低处的云朵迅速漂流，日落红从西面散开，好像切开一只葡萄柚时溅出的水渍。

"骗子，你不是说等会儿就回去吗？"我们开玩笑，提到先前的女老板。

"多受骗才能成长啊。"阿吉半真半假地回应到。

"海真好看，如果不晕车就更好了。"小绿说。

"好像是莫奈说的，'海的衣服'有蓝色、蔷薇色、灰色，还有绿色。"阿瓜说着，又起一段还在蠕动的章鱼腿。

"每年有许多人死在海里。"阿吉说，"我在学校话剧团时，听人讲过一个故事。有一对朋友去海钓，两个男人，其中一个腿部残疾。那个残疾的兴致很高，一整天都在轮椅上拼命挥竿，但多是空欢喜一场。到半夜，残疾男人突然大声叫喊，把另一个男人吵醒了。他声称钩住了有生以来最大的一条的鱼，此刻正在水底和他搏斗，再不来帮忙他就要被鱼拖下海了。另一个男人就去帮他，可水流湍急，他根本拖不住轮椅。于是残疾男人建议他下海，从另一侧施力，把鱼推上岸。这个男人卷起裤腿，往水下去了，结果他发现……"

"啊，是一具尸体！"小绿惊叫起来。

"是的，海里到处都是野尸，但跳海太痛苦了，窒息而死。"阿吉垂头丧气，又问，"你们想过怎么死吗？"

"干嘛想这些，比目鱼不香吗？"阿瓜小心地瞥了阿吉一眼。

"我一直不明白，一个人要多痛苦才会去死。"小绿说，她的特长之一是随时随地运用哭腔。

"不一定的，或者说不是那种强烈的'痛苦'。有时候只是失焦，肉食比目鱼也好，纯金打造的比目鱼也好，你分不清它们的价值差别。"阿吉说。

"你现在分不清吗？"小绿问。

"我当然是随便说说的。"阿吉笑了。

饭后，我们补足了剩余的两个小时公路行程，入住费特希耶一间民宿。阿吉想去超市买东西，小绿积极响应，我和阿瓜则留在家。

套房近七十平米，两居室一客厅。外侧有一个阳台，躺椅、遮阳伞、一套土耳其风格的茶具摆在里面。阿瓜洗澡的时候，我独自入侵这片领地。侧柏、油杉从庭院里探出枝条，黑夜使幸存的每一道光都显得更醒目，树叶被镀上一层闪亮的鳞片。与往日相比，我身处不同的经纬度，所见的星空也理应是一派新的面目。只是星星常年寡言鲜语，在亿万年沉默的映衬下，我只注意到一架耀跃着红光的飞机。它在高空中缓缓滑行，像一粒正在炙烧的烟头，蕴藏着隐秘的凶险。

一小时后，我听见塑料袋悉索作响的声音，很快便见小绿推开房间的门。

"又发生了一件倒霉事，我的人字拖坏了。"小绿举着拖鞋说。

"那你怎么办？"我问。

"附近超市都关门了，只有一个加油站，不卖拖鞋。阿吉问他们借了液体胶水，帮我粘了一下，但好像还是不牢固。"小绿说。

"土耳其之行太荒诞了，很多事经不起细想，像假的。"我说。

"其实我最近有一种预感。"小绿忽然凑近我，那双富于表现力的眼睛微微湿润，茶色瞳仁仿佛正在褪色、融化。她犹豫一番，好像不知该怎么开口。"我觉得……我觉得阿吉想在土耳其自杀。"

"怎么可能，你是不是太敏感了？"我问，在我看来，这是小绿从小的毛病。

"真的！我知道他在犹豫，为了摸索一种最简洁、体面的自杀方式。"小绿说。

"你被那个伊斯坦布尔女巫迷昏头了吧。"我说。

"不，不是因为那个女人，但她说得也没错，连她都这么说了！我和阿瓜私下交流过，阿吉大学时就有抑郁倾向，经常一失踪就是两三个星期，谁也不知道他去哪里。"小绿说。

"这又能说明什么？"我说。

"说明什么……"小绿嗫嚅，突然失神一松手，拖鞋掉在地上，顿时又开裂了，"我跟你说不通，近来阿吉很反常，反应比平时迟钝很多，好像已经从这个世界游走了。"

"你问过他本人吗？哪来那么多事值得自杀？"我说，没注意到自己已有些歇斯底里。

"他快要死了，你还那么冷漠。"小绿终于忍不住哭起来，一发不可收拾。抽泣使她的呼吸极不平稳，吐出的言辞也愈加破碎。"难道问得出什么吗，他不会说真话的，他就是那样的人……"

"真恶心。"不知为何，一股尖酸的恼怒蓦地占据了我的胸腔。我感到指节松垮，鼻翼正失控地抽搐，好像有某种病征牢牢操纵着我。

我不自觉地说："这么多年来，我受够你了。你说阿吉要自杀，我并不觉得是真的，就像很多其他事情——你真的晕车吗？真的有胃病吗、腿酸吗、头疼吗？你只是为了引起别人的关注，剥削能得到的所有好意而已。现在你这样消费阿吉的生命，只不过在追寻某种虚张声势的戏剧感。你想以某种方式靠近他，和他建立更深刻的关联，但你不觉得这一切很恶心吗？"

　　"你发什么疯……"小绿的眼泪没止住，落得更甚。她抱起一件衣服，遮挡面孔，逃跑似的离开了房间。

　　我环顾房间，行李箱摊开着，衣服、洗护用品、薯片、各个景点取的资料册四处散落。浅蓝色的床单皱了大半边，花钟形的床头灯微亮，幽光盘踞在枕头边缘。再往边上是一个木书柜，书籍不超过五册，一组猫咪瓷器斜向摆着。房间里尽是死物，突兀的沉寂诱发了我的耳鸣。我狠狠踢了小绿的拖鞋一脚，拖鞋直滚到墙边，啪一声落定。

　　我不明白那股激烈情绪的由来，即便在此时——眼泪虽迟但终究也追上我的瞬间。我抓起手机，想给朋友打电话，但想了一圈也找不到合适的人。于是，我给我妈拨了一个语音通话，十秒，三十秒，一分钟，无人响应。

　　我躺在床上，伸手拧暗床头灯，拒绝领受它向我提供的最后庇护。许多已在记忆渊流中触礁的往事，徒然复活，再度向我张帆而来。我被拉回一个晦暗的时代：永远独自一人，没有朋友，没有交流。我想起大学那几年，死亡的念头时常在半夜冒出来。黑暗之中，我瞪着双眼，有时用指甲去划墙壁，把甲片断裂、鲜血横流视作自我确认的一种方式。而我最接近死亡的时刻，不过是在教学楼天台上站了一个通宵。天亮时，我好受一些了，也心安理得接受了自己的懦弱。遍布疮痍的命运系统似被重置，但这并非一件好事，它意味着痛苦会一再到达巅峰。

很快，我似乎睡着了，梦境以碎片的形式向我袭来。

我们好像又一次回到了伊斯坦布尔的夜晚。帐篷昏昧如故，女巫口占预言，其他人以半圆形围拢在我们身后。这次我看清楚了，原来所有人都是畸形的，他们以某种方式向魔鬼出卖了庸常的人生。一个侏儒女孩摘下头颅中央的红色蝴蝶结，向我递来……

我也梦见临近的未来，我们从费特希耶驱车赶往棉花堡。我们脱下鞋袜，一层一层向上攀爬，似在云端。但顷刻之间，暴风雨的腥味钻入我们的肺部，雷电接踵而来，往后便落下滂沱大雨。我们匆忙决意下去，回到汽车里躲避，但阿吉非要再往上爬。我们问他，你究竟要到哪里去？他不说话，只是离我们越来越远。

在某一段无头无尾的梦境之中，阿瓜开车带我们去找以弗所乐土。我们跋山涉水，穿越丛林，几乎没放过遇见的每一个当地人问路。有人说这个地址不存在，有人收了我们的钱之后跑得了无踪影，也有人操一口完全无解的语言，拼命想传递什么信息，却无济于事。正当我们精疲力竭的时候，阿瓜突然看见一块古老的木指示牌，上面写着"以弗所乐土"的土耳其语，并标有箭头。

我们顺着方向而去，大约又走了三百米。

出人意料，以弗所乐土就这样铺展在我们眼前——那是一块庞大无边、空前绝后的废墟。

当时只道是寻常

时是常

后记

后记 | 当时只道是寻常

　　我小时候，寒暑假被寄养在外婆家。印象中，社区里没什么年龄相仿的孩子，我总是一个人玩。外婆家附近有一口井，我出生前，它就已被填土作废。家里的亲戚多次告诉我，过去，我舅舅每天去井边探水，因为他在某本科学杂志里读到，地震来临之前井水会发生变化。这样的往事魅惑着我，我经常往井边跑。坐在井沿上，从早到晚。有时带一本书看，有时什么都不做。大片时光消失于此，我仿佛在等待某种从不存在的奇迹的虚妄的复现。

　　那几年，我舅舅正在法国念书，七年硕博连读。舅舅能去法国，完全出于一次意外的机遇。他深思熟虑，终于对家人说出，可能会出国留学。我的母亲把手放在他额头上说，你发烧了。家里传统、保守，也拮据，出国是天方夜谭。但一年后，我们就去浦东机场送别舅舅了。为了省钱，我们几无联系。偶尔通个长途电话，也是因为外婆在新闻里看到巴黎罢工的动乱。外公的性格正直、严厉，情感表达极为节制，舅舅在家时听到的都是打击之辞。舅舅离家后，外公也从不说想念，可我感到他是在意的，且引以为豪。

　　一个人命运中的意外，将一个家庭带往了神秘的境遇。这完全不是指物质方面，舅舅在法国没赚到什么钱，一贯清贫。然而，因为舅舅的独特存在，我在年幼时就尝试去认知命运，思考梦与真实，思考人在时间洪流中如何细微地行动，思考那些行动之间的关联与意义，为此非常伤感——这种伤感，或许与陈子昂的"怆然"相近，是因为有些瞬间意识到了"天地之悠悠"，因为我明白了一些无法付诸语言与任何人交流的东西。

　　除此以外，我也享受着来自舅舅的一些好处。例如，他留下许多磁带和CD，都短暂地属于我：刘文正、潘安邦、叶佳修、罗大佑、钮大可、李春波，还有Beatles、Eagles、U2、Led Zeppelin、Carpenters、Bob Dylan。我识字较早，三年级翻舅舅从前买的《少年科学》，1981年全12册，读得津津有味。有一天，无意中算出，舅舅买这些书时已经十六岁了，而我读他们时还不到十岁。我暗中替舅舅惋惜，猜想他是在怎样的情境下买了这些书。也许他一直对科学有兴趣，但到了一定的年龄，才有钱去买，尽管那时已经太晚了。

实际上，舅舅对文学也很感兴趣。他读书驳杂，曾向我推荐阿列克谢耶维奇的《二手时间》，让我写出"真正的文学"。奇怪的是，我不愿意同家人讨论文学（或许是继承了家族里对情感、精神交流的回避）。我说，不太可能，我写得很少。回想起来，我有些后悔总是轻描淡写地描述一切。何况这并不全是真的，只是一种谦逊和克制。

最后，很高兴这本小说集能出版。写作十余年，也很惊讶自己能写到今天。对于写作，我常常抱有怀疑的态度。比起写出好的小说，我更想当一个"好"的人。这种好和道德层面无关，概括而言，是要摒除自我的障眼法，把自己折叠到一个低的位置，以感受到更多他人和世界的真实面貌。一个相对明白的、体谅的、对世界的真相始终抱有热望的人，我的舅舅便接近这样的人。

这本书是献给我的舅舅孙明磊的，祝他在逝者之疆依然能有所照耀。

2023 年 1 月 25 日

图书在版编目（CIP）数据

晚春 / 三三著. -- 上海：上海文艺出版社，2023
ISBN 978-7-5321-8316-6

Ⅰ.①晚… Ⅱ.①三… Ⅲ.①短篇小说－小说集－中国－当代 Ⅳ.①I247.7
中国版本图书馆CIP数据核字(2023)第030188号

发 行 人：毕　胜
责任编辑：江　晔
装帧设计：付诗意

书　　　名：晚春
编　　　者：三三
出　　　版：上海世纪出版集团　　上海文艺出版社
地　　　址：上海市闵行区号景路159弄A座2楼 201101
发　　　行：上海文艺出版社发行中心
　　　　　　上海市闵行区号景路159弄A座2楼206室　201101 www.ewen.co
印　　　刷：浙江天地海印刷有限公司
开　　　本：1092×787 1/32
印　　　张：9.625
插　　　页：2
字　　　数：155,000
印　　　次：2023年4月第1版 2023年4月第1次印刷
ＩＳＢＮ：978-7-5321-8316-6/I.6565
定　　　价：59.00元
告　读　者：如发现本书有质量问题请与印刷厂质量科联系　T: 0573-85509555